D0231329

CAEDE·ET·HONESTE

D E   G I L D E   T R I L O G I E

B O E K   I

EGS REF.NR. 116143

☐ **Wetenschappelijk onderzoek**
☐ **Expeditie**
☑ **Geheime missie**

Geheime Missie Jericho Rood

JOSHUA MOWLL
VERTALING GERBRAND BAKKER

Manteau | De Harmonie

*Voor Victoria, wier vriendelijkheid me
in Londen deed belanden.*

*Ter herinnering aan David, oude vriend,
die het feestje té vroeg verliet.*

INLEIDING

BERICHT AAN DE LEZER

In het vroege voorjaar van 2004 verstuurde Joshua Mowll een pakketje en een brief aan uitgeverij Walker Books. Hij schreef dat hij een ontdekking gedaan had over een mysterieus geheim genootschap dat eeuwenlang voor de wereld verborgen was geweest. De informatie die hem op het spoor zette van de ontdekking had tientallen jaren achter slot en grendel gelegen in een kluis, diep onder de woning van zijn overleden oudtante Rebecca MacKenzie.

Joshua's avontuur begon toen hij het huis van zijn tante in februari 2002 erfde. Hij ontving een brief en een in vreemde bewoordingen opgestelde akte van haar notaris, waarin hij tot Voorzitter van het *Edelhoogachtbare Gilde van Specialisten* werd benoemd en hem werd opgedragen zichzelf te wijden aan het *plechtige doel* van dat gilde. Joshua had zijn oudtante slechts een enkele keer ontmoet en wist niets van die organisatie af. Het stelde hem voor een raadsel, maar hij was natuurlijk ook nieuwsgierig.

Zo begon de brief van zijn oudtante: *Mijn beste Joshua [...] als mijn notaris, Melvin, aan zijn opdracht heeft voldaan en jij deze brief leest, zal ik wel dood zijn.* Nadat er verwezen wordt naar een of ander archief, schrijft ze verder: *Ik zou graag zien dat jij mijn documenten redigeert en het project afmaakt dat Doug en ik begonnen zijn.*

Ik laat Cove Cottage na aan Emily en jou. Maak er als je dat wilt gebruik van als je mijn memoires schrijft. Er is een internetaansluiting en een prettig kantoor. Er liggen spullen die niet verplaatst mogen worden, laat die er maar liggen. Melvin heeft je waarschijnlijk een sleutelbos overhandigd waarmee je de deur kunt openen

naar de kluis waarin mijn archief opgeslagen ligt. Jij
bent vanaf nu verantwoordelijk voor de inhoud
ervan. Tijdens mijn avonturen heb ik
het geluk gehad – meer door
toeval dan met opzet – kennis
te mogen maken met de prach-
tigste eeuwenoude culturen en
tradities die de mens gekend heeft.
De Tweede Wereldoorlog heeft veel
ervan weggevaagd, en na die tijd was
niets meer zoals het ooit geweest is.
China, het onderwerp uit de eerste map
(No. 116143), was voor mij een onverge-
telijke plek. Ik droom vaak over China, zelfs
nu nog. Je zult ook dingen lezen over het
Edelhoogachtbare Gilde van Specialisten.
Vanaf mijn geboorte is mijn leven verknoopt
geweest met die organisatie; het was mijn lot. Het
Gilde was onmetelijk oud, zelfs in die tijd al. Ik zal
in deze brief niets uitleggen over het gilde, alles zal
duidelijk worden als je het archief doorneemt.

    Joshua bezocht vrijwel onmiddellijk het huis
van zijn oudtante in Devon en begon het archief
door te spitten. Binnen enkele minuten na het openen
van de kluisdeur besefte hij dat hij op iets buitengewoon opmerkelijks gestuit was.

    Het archief omvatte en zeer grote verscheidenheid aan
origineel materiaal: brieven, kaarten, schetsen, foto's, oude
kunstvoorwerpen en alle delen van het dagboek van zijn oudtante, dat veruit het meeste onthulde. Na maanden van zorg-
vuldig onderzoek was Joshua in staat de stukjes van de avon-

De brief en het testament van Rebecca MacKenzie, waarin ze
Joshua Mowll haar archief nalaat. (MA 941.37 RM)

COVE COTTAGE, PERENPRITH, SOUTH HAMS, DEVON

TELEFOON: (PERENPRITH) 452390

Donderdag, 10 januari 2002

Mijn beste Joshua,

Ik wil niet melodramatisch doen - dat is een karaktertrek die mij altijd heeft tegengestaan - maar als mijn notaris, Melvin, aan zijn opdracht heeft voldaan en jij deze brief leest, zal ik wel dood zijn. Dat hoeft je niet van streek te maken. Ik schrijf deze brief na een leven van zevenennegentig jaar op deze planeet, en ik heb van elk jaar genoten.

Een aantal jaar geleden (dertig om precies te zijn, wat vliegt de tijd!) ben ik begonnen de eerste mappen in mijn archief persklaar te maken, samen met mijn broer Doug, die wel aardig kon tekenen. Helaas verspilden we veel tijd aan ruziën over kleine details, dat doen broers en zussen nu eenmaal, en het project bloedde dood. Nu is er een frisse blik nodig om uit te maken wat van belang is en wat sentimentele kletspraat. En je hebt het ongeluk dat jij het familielid bent dat ik daarvoor het uitgekozen.

Ik zou graag zien dat jij mijn documenten redigeert en het project afmaakt dat Doug en ik begonnen zijn. Misschien ben je benieuwd waarom ik jou gekozen heb en niet je zus die in Amerika woont. Jij en Emily zijn de laatst overgeblevenen in de lijn van de MacKenzies, en hoewel ik denk dat Emily beter in staat zou zijn om aan mijn wens te voldoen, weet ik ook dat ze een baan heeft, en een echtgenoot en drie kinderen om voor te zorgen. Een bijkomend obstakel is dat ze in New York woont. Naar wat ik ervan begrepen heb, slijt jij je tijd in Londen met nietsdoen en doe je je voor als een of andere kunstenaar die alleen aan zichzelf denkt. Je hebt mijn toestemming om de tekeningen bij te werken, mocht dat nodig zijn. Je bent toch tekenaar? Ik zag onlangs werk van je en jouw stijl lijkt wel wat op Dougs stijl.

Ik laat Dove Cottage na aan Emily en jou. Maak er als je dat __ruik van als je mijn memoires schrijft. Ik verkoop het __ccountant heeft me verteld dat iets wat 'ver-__ __erschatten is. Er is een internet__ __r liggen spullen die__ __maar lig__

turenpuzzel van de jonge Rebecca en Douglas MacKenzie in elkaar te passen. En nu vertelt hij hun verhaal, waarin hij onthult wat hun rol was in de opmerkelijke Geheime Missie Jericho Rood.

❖❖❖

Geheime Missie Jericho Rood

Kaart

Locatie van de missie – CHINA

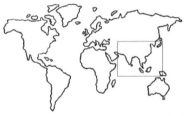

(MA 389.109 CHINA)

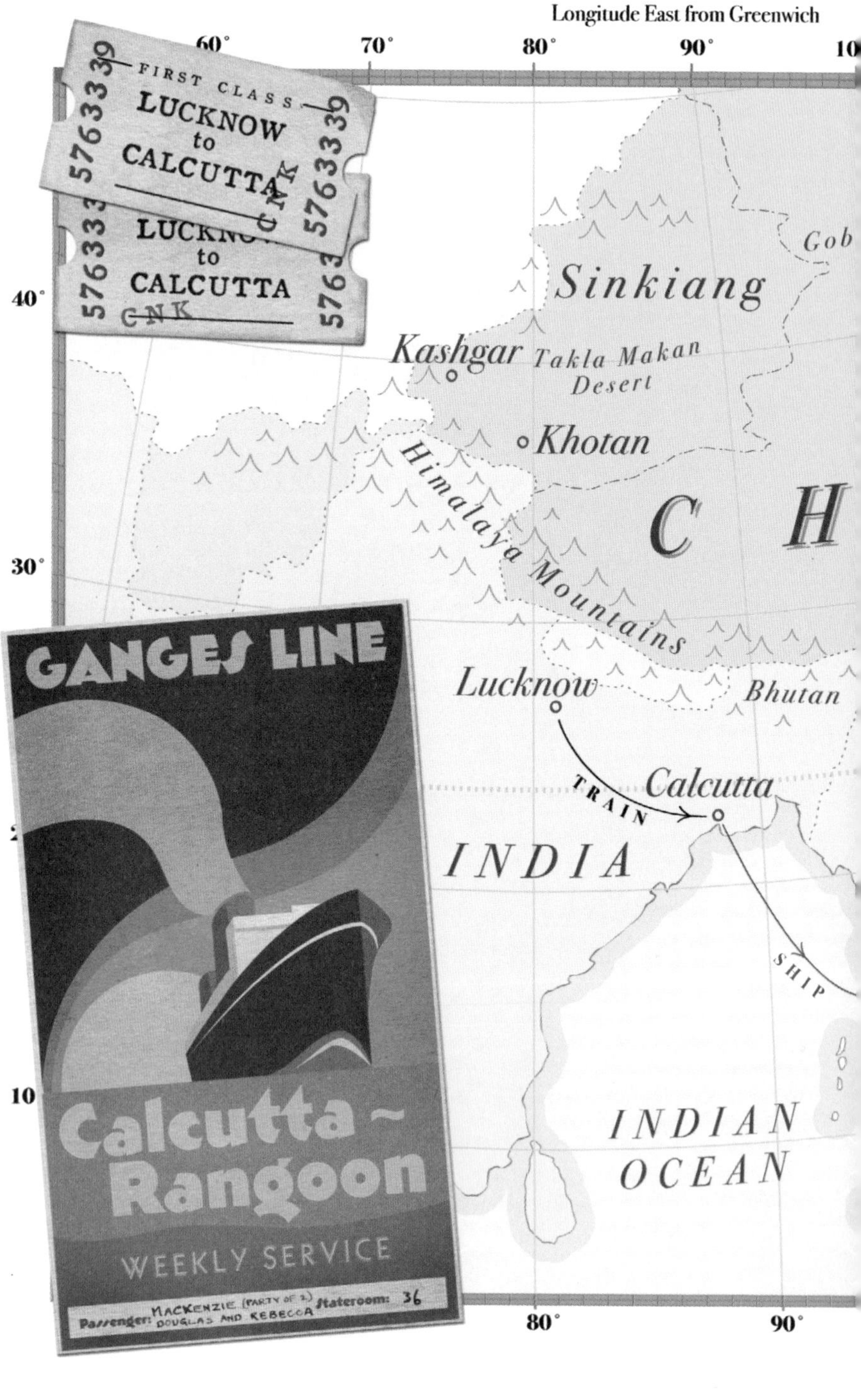

Longitude East from Greenwich
60°
70°
80°
90°
40°
30°
10
FIRST CLASS
LUCKNOW
to
CALCUTTA
5763339
CNK
LUCKNOW
to
CALCUTTA
5763
GANGES LINE
Calcutta ~ Rangoon
WEEKLY SERVICE
Passenger: MACKENZIE (PARTY OF 2) DOUGLAS AND REBECCA
Stateroom: 36
Sinkiang
Kashgar
Takla Makan Desert
Khotan
Himalaya Mountains
Lucknow
Bhutan
Calcutta
TRAIN
SHIP
INDIA
INDIAN OCEAN
80°
90°

Geheime Missie Jericho Rood

Degenen die het op zich hebben genomen om de wetten der natuur vast te leggen als een zaak die reeds onderzocht en doorgrond is [...] hebben de filosofie en de wetenschap grote schade berokkend.

Francis Bacon, *Novum Organum* (1620)

HOOFDSTUK 1

Knipsel uit de *Shanghai Post* van 29 maart 1920

29 MAART, 1920

SHANGHAI: Het internationale akkoord dat vandaag getekend wordt, betekent het einde van de handelsoorlog die al een half jaar duurt. Gedurende die tijd verminderde het vrachtvervoer over zee met 75 procent en bleven overal ter wereld vrachtschepen aan havenkades gekluisterd.

Theodore da Vine, directeur van het machtige All American Conglomerate, gaf als verrassend commentaar: 'Ik ben blij dat ik me hier tussen nieuwe vrienden bevind, mensen die ik eerder deze week nog uitmaakte voor rovende, protectionistische, geldbeluste haaien en verraderlijk addergebroed! Ik zie dit als het begin van een enorme handelsopleving, die de aanzet zal zijn tot herstel van de internationale economie.'

Mr. Da Vine was de grootste dwarsligger bij het beslechten van de langdurige handelsoorlog. Europese, Aziatische, Afrikaanse en Amerikaanse gedelegeerden hebben de afgelopen drie maanden met elkaar overhoop gelegen tijdens de onde...

MacKenzie-archief
(MA 449.71 SHANG)

Uit Becca's dagboek, 2 april 1920.
In een taxi van Nanking naar Shanghai.

Nu weet ik wat hier in de taxi zo afgrijselijk stinkt. Het zijn de geluks-
sokken van mijn broer Doug. De hitte hier in China zorgt voor een
nieuwe, opvallend doordringende geur. Hij ligt de hele middag al te
snurken en probeert zich steeds languit op de achterbank te nestelen.
Ik ben aan de kant gegaan omdat ik niet dicht bij hem in de buurt wil
zijn. Mocht ik sterven door verstikking, hier volgt alles wat ik weet over
de gelukssokken. Dan kan hij later voor het gerecht gesleept worden.

BESCHRIJVING: gebreide wandelsokken, grijs, met een rode
band ter hoogte van de enkel.

STAAT: enorm gat in de hiel van de ene sok; een gele klauw
(mogelijk een grote teen) steekt uit de andere.

GEUR: geschifte melk op een warme zomerdag.

GESCHIEDENIS: kerstcadeau van vader, vier jaar geleden. Voor
onze reis naar Bhutan en de Himalaya. Ze zijn nooit gewassen.
Doug draagt ze tijdens het sporten (daarin schijnen ze hem geluk te
brengen), maar ook tijdens examens. Vandaag heeft hij ze aange-
trokken ter ere van de ontmoeting met onze oom, kapitein Fitzroy
MacKenzie, onze nieuwe voogd.

BOEM! Een enorme ontploffing deed de taxi schudden.

'De motor?' vroeg Doug. 'De krukas?' Hij keek bezorgd naar
Mr. Ying, hun taxichauffeur.

'Nee, nee. Alstublieft, alstublieft', brabbelde de chauffeur.
Hij gebaarde naar de nachthemel boven Shanghai. 'Vuurwerk-
feest. Knal. Knal.'

'Is het een feestdag in China?'

'Nee, nee. Shanghai Scheepssyndicaat viert feest want internationale handelsverdrag getekend. Geen vracht vervoerd, weken-

lang. Slechte tijden. Schepen lagen aangemeerd. Toen grote con-
ferentie. Veel gepraat. Toen deze man, hoe zeg je, Th-e-odo-re...'
 'Theodore?' ontcijferde Doug.
 'Ja, ja! Th-e-odo-re da Vine kwam aan. Grote sigaar! Zo
groot, hij kon niet de hoek om. Hoe dan ook, hij lost probleem op. Toen schepen weer varen. Nu wij allemaal vrienden.
Nu groot feest, net zo groot als sigaar!' Mr. Ying lachte en sloeg
met zijn handen op het stuur. Becca sloeg haar ogen ten hemel
en wou dat de rit voorbij was.

Een tweede ontploffing schudde de taxi door elkaar. Doug
draaide het raampje omlaag en keek naar buiten. Ze naderden
het stadscentrum en voor hen lag de Bund, een brede door-
gangsweg langs de rivier de Huangpu, waaraan prachtige
gebouwen in Europese stijl lagen. Vanuit zijn ooghoeken zag
hij aan de overkant van de rivier iets oplichten. Een derde
vuurpijl ging de lucht in. Hij spatte uiteen met een intens hel-
dere flits, fonteinen vlammend rood en
azuurblauw daalden neer.
 'Moorddadig!' riep hij. 'Megamoorddadig!'

Doug had warrig lang haar dat nodig
geknipt moest worden, en dezelfde jukbeenderen als zijn zus Rebecca. Hij was
dertien jaar oud en de kleren die hij
droeg, pasten hem niet meer. Dat interesseerde hem niets. In het afgelopen half
jaar was hij gemakzuchtig en moeilijk
geworden. Maar Doug was onderzoekend
en nieuwsgierig van aard en wilde graag
de dingen die hij niet begreep doorgronden. Momenteel waren dat krukassen,
vorige week was het de raadselachtige
vraag waar rubber blijft nadat het van

DOUGLAS MACKENZIE

*In een schoolrapport staat:
'Douglas' onmiskenbaar
aanwezige intelligentie is
verborgen onder een fineer
van laksheid.' Doug was
kunstenaar, gemakzuchtig
wetenschapper, maar
bovenal vrijdenker. Liet zich
bij zijn zoektocht naar kennis nooit weerhouden door
regels of voorschriften.*

autobanden is weggesleten en de week daarvoor snapte hij niet waarom bakstenen onderaan een gebouw niet barsten. Zulke zaken namen al zijn aandacht in beslag, tot er een nieuw, onbegrijpelijk probleem opdoemde. Hij wist veel van allerlei uiterst obscure onderwerpen. Het probleem was dat deze 'troetelonderwerpen' net zo wisselvallig waren als de dagen waarop hij zijn was deed, en zelden in een wetenschappelijke aanpak uitmondden. Voor iemand die zo stuurloos in het leven stond, had hij een verrassend lievelingsvoorwerp: een kompas in een zilveren zakhorlogekast. Hij had dit cadeau van zijn vader altijd bij zich.

Zijn zus Rebecca was op de dag af twee jaar ouder, maar buiten hun gezamenlijke verjaardag hadden ze weinig gemeen. Zo besteedde Rebecca veel aandacht aan haar uiterlijk, en ze bezat drie identieke koffers, terwijl Doug zijn spullen in een versleten plunjezak van canvas stopte. Ze werd meestal aangesproken met haar koosnaam Becca. Die naam stond haar aan; Rebecca klonk veel te stijf. Was Doug het afgelopen jaar in een lastige jongen veranderd, zij was juist bedeesder en ernstiger geworden en ze bracht haar tijd door met het bijhouden van haar dagboek, het beoefenen van oeroude Duitse schermtechnieken en een toenemende liefde voor muziek. Haar donkere haar was kortgeknipt. Ze was van nature wat gereserveerd, maar er gloeide een oplettendheid in haar ogen waaruit bleek dat ze een denker was.

REBECCA MACKENZIE

Voormalig uitblinkende scholiere die 'ontembaar, ongehoorzaam, obstinaat en opstandig' werd na de verdwijning van haar ouders. Haar liefhebberijen waren schermen en muziek.

Doug streek het haar uit zijn ogen en keek vol verwachting naar boven, maar er werd geen vuurpijl meer afgeschoten. De Bund stroomde vol met volk dat naar de hemel tuurde, snaterend en wijzend. De taxichauffeur minderde vaart en claxonneerde, terwijl de nog steeds groeiende menigte in de richting van de rivier stroomde. Al snel waren er zo veel mensen op de been, dat de stoet auto's, riksja's en paardentrams nauwelijks meer vooruitkwam.

Mr. Ying haalde zijn voet van het gaspedaal en schreeuwde de mensen aan de kant, maar niemand luisterde naar hem. Opgewonden gezichten drukten zich tegen de ramen. Hij schakelde terug naar de eerste versnelling en kon niet anders dan in een slakkengangetje achter de massa aanrijden.

'Jongeheer, juffrouw', zei Mr. Ying. Hij gebaarde naar de schepen en jonken die aan de overkant van de rivier aangemeerd lagen.

Plotseling schoten tientallen vuurpijlen de lucht in en ze barstten uiteen met een klap alsof de dag des oordeels aangebroken was. Nog meer vuurpijlen, en nóg meer, ontploffend in een razende opeenvolging van knallen en watervallen van kleur. Het kabaal was oorverdovend en de lucht bezwangerd van dikke rook. Doug had eerder groot vuurwerk gezien, hij beschouwde zich als deskundig op het gebied van buskruitvuurpijlen. Maar zo'n vuurwerkspektakel had hij nooit eerder meegemaakt, het had iets groots, het was majestueus en uniek.

Het schokeffect was zo sterk dat de taxi met elke oorverdovende donderslag leek te rillen als een zenuwachtige hond. Het vuurwerk kwam twee keer zo hoog als wat Doug gewend was, er waren uitbarstingen van vermiljoen, goud en hemelsblauw in volmaakt ronde lichtballen. De vuurpijlen spatten uiteen in een veelvoud aan vormen en patronen: vreemde sterrenconstellaties, daarna een slang die kronkelde en van kleur verschoot terwijl hij ter aarde stortte. Apen voerden kunstjes uit; tijgers slopen door een oerwoud van groen licht; krokodillen zwommen rond en hapten naar elkaar; een trots schrijdende pauw vouwde een schitterende verenwaaier uit; een

Firewerks over Shanghai DM 1920

Uit Dougs schetsboek.[1] (DMS 1/14)

optocht van draken, de een nog mooier dan de ander, leken hun voorgangers in oranje en blauwe vlammenschichten te verorberen.

Terwijl de taxi zich door de menigte wrong, konden Becca en Doug haarscherp de schepen zien die langs de Bund aangemeerd lagen, ze lichtten op in de gekleurde lichtflitsen. Langzaam aan kwam het vuurwerkspektakel tot een hoogtepunt. Het donderde en rolde, elke vezel in hun lichaam vibreerde mee. Ondanks zijn opwinding voelde Doug iets van angst, het vuurwerk was zo luid, zo groots, dat hij zich vastgreep aan de achterbank om zich schrap te zetten. Hij merkte dat ook Becca zich schrap zette, ze omklemde de deurkruk stevig toen de taxi heen en weer begon te schudden. Ze riep iets, maar hij verstond het niet.

1 De tekening komt uit een van Doug MacKenzies schetsboeken. De meeste afbeeldingen zijn naderhand getekend en zullen als gevolg daarvan niet altijd een accurate weergave zijn van personen of locaties.

Ineens hield het vuurwerk op, even plotseling als het begonnen was. Het laatste gerommel stierf weg, stilte daalde neer over de stad. De nacht herkreeg haar normale duisterheid, maar de menigte bleef hangen in de hoop dat er meer zou volgen. Mr. Ying had het opgegeven. Hij had de taxi stilgezet en zijn vingers in zijn oren gestopt.

Een halve minuut later ging er een laatste vuurpijl de lucht in, een trage amberkleurige staart achter zich aanslepend. Hij ontplofte met een verscheurende knal die veel luider was dan de eerdere knallen en barstte uiteen in de vorm van een ramskop met omlaag gebogen hoorns. Mr. Ying lachte bulderend, drukte de startknop op het dashboard in en reed de taxi een stukje vooruit. 'Su-jing! Gek zijn ze!'

De ram bleef even zweven, werd van bloedrood groenblauw, en toen weer bloedrood, knipoogde met zijn rechteroog, verbrokkelde in de vier windrichtingen van een kompas en verdween. Schorre kreten en gelach stegen op uit de mensenmenigte. Precies op dat moment zette Mr. Ying met de hulp van een paar zeelieden de taxi stil naast een oud schip. Doug liet zijn blik langs de parelmoerglimmende romp omhoog gaan. Met moeite ontcijferde hij de met roest bevlekte woorden hoog boven zich: ONDERZOEKSSCHIP EXPEDIENT. Ze waren op hun bestemming aangekomen.

'Welkom, mejuffrouw Rebecca, welkom jongeheer Douglas', zei een keurige stem. 'Ik ben Ch-Char-Charlie. De kapitein laat jullie groeten en verzoekt jullie onm-onmiddellijk aan boord te komen.'

Het linkerportier werd opengetrokken en Charlie bood Becca zijn hand aan. Ze wuifde de hand weg. 'Ik heb geen hulp nodig, dank u wel.'

Doug klauterde achter haar de taxi uit, gretig, hij wilde graag de Expedient beter bekijken.

De donkere romp torende boven hen uit. Het vaartuig was een stoomaangedreven vrachtschip met een langgerekt laadruim aan de voorzijde. De bovenbouw – dek, stuurhut, brug en schoorsteen – verhief zich vanaf het middendek en liep door tot de kampanje op het achterdek. Het schip had twee tamelijk grote masten, maar in feite waren dat de dekkranen om de lading in en uit de scheepsruimen te hijsen.

Becca keek afkeurend omhoog. 'Is dat alles?'

Een sproeiboog witte vonken van een lasapparaat kwam vanaf de brug naar beneden.

'Is er schade aan het schip?' vroeg Doug. 'Is het de krukas?'

'De... de krukas?' herhaalde Charlie vol ongeloof. 'Daarboven?'

'Laat hem maar', zei Becca. 'Hij is geobsedeerd door krukassen vanaf het moment, vier dagen geleden, dat ons vliegtuig een noodlanding moest maken in Indo-China.'

'We stortten bijna neer in het oerwoud!' legde Doug uit. 'We kwamen maar net Shanghai binnen, op één motor, en we moesten de stoelen uit het vliegtuig smijten om gewicht kwijt te raken. Vanaf dat moment besloot ik zekere...'

'Waarom hou je je kop niet?' siste Becca.

'Dat moet je maar a-aan de eerste machinist vragen', lachte Charlie. 'De kr-krukas wordt na zonsondergang meestal in de vlaggenkast gestopt.'

'In de vlaggenkast? Weet je dat zeker?' vroeg Doug. Hij voelde de aanwezigheid van andere mensen op het dek, hij hoorde stemmen. Plotseling werd de wereld beangstigend stil, de menigte verliet in kleine groepjes de kade en Doug besefte dat hij op het punt stond aan boord te gaan van een schip dat onder gezag stond van een oom die hij nog nooit gezien had, en dat een onbekende bestemming had.

'Waar is onze bagage?' vroeg Becca, een tikje pedant, in een poging haar zenuwachtigheid te verbergen. 'Er moeten drie koffers zijn, een plunjezak en het correspondentiekistje van mijn moeder.'

'Jullie bagage wordt op dit moment naar jullie hutten gebracht.' Doug herkende het accent van deze zeeman direct: hij was een New Yorker, zijn stem klonk als een misthoorn, laag en hees. 'Breng onze nieuwe passagiers aan boord, Charlie. Schiet een beetje op, we varen bijna uit.'

Op de loopplank werd Doug door paniek bevangen bij de gedachte aan de nieuwe en onbekende wereld die hij tegemoet klom. Onder hen glom de stroperige rivier even onrustig als hij zich voelde en hij aarzelde kort toen hij Mr. Ying zag wegrijden. Met een zusterlijk glimlachje – iets wat ze zelden deed – moedigde Becca Doug aan verder te klimmen. Eenmaal aangekomen op het dek, voelde dat geruststellend stevig aan.

'Moorddadig', fluisterde Doug, terwijl hij zijn ogen over de tuigage en kabeltouwen bij het vooronder liet gaan.

Hij werd afgeleid door een ongeduldig gerinkel van bellen. Een ziekenwagen kwam door de uitgedunde menigte aanrijden en hield halt bij de loopplank. De achterportieren werden opengeworpen, twee zeelieden sprongen uit de wagen.

'A-aan de kant', raadde Charlie hen vriendelijk aan.

De zeelieden trokken een brancard uit de ziekenwagen en droegen die de loopplank op. De gewonde was zo ingezwachteld dat zijn gezicht niet te zien was, en het leek erop dat zijn handen met boeien aan de brancard vastzaten.

'Een uiterst indrukwekkend vuurwerkspektakel', bulderde een stem van boven. Becca en Doug draaiden zich om en keken omhoog. 'Ik dacht dat de poorten van de hel zich geopend hadden. Ik ben jullie oom, kapitein van dit schip. Welkom aan boord.'

Het donkere silhouet stond als een kroon op de brug en de vonken van het lasapparaat verleenden het een beangstigend en vurig aura. Zijn gezicht was nauwelijks te onderscheiden in het halfduister, de kraag van zijn zware uniformjas stond omhoog tot aan zijn baard. Doug schermde met een hand het licht van een koolspitslamp af en zag dat het linkeroog van zijn oom bedekt werd door een ooglap en dat hij met zijn linkerhand steunde op een wandelstok. Hij vroeg zich af of die twee verwondingen iets met elkaar te maken hadden.

'Het lijkt erop dat het SSS verstand heeft van feestvieren. We zullen morgen gezamenlijk de lunch gebruiken, dan maken we nader kennis. Momenteel ben ik druk bezig met ons vertrek uit Shanghai. Mevrouw Ives zal zich over jullie ontfermen. Ik wens jullie een goede avond. Alles in gereedheid daar beneden?' Het laatste was gericht tot het dek. 'Alle hens aan boord. Beman het gangboord! Gereedhouden om de trossen te lossen!'

'Wat is het SSS?' vroeg Becca.

'Het Shanghai Scheepssyndicaat, de taxichauffeur had het over die club', zei Doug. 'Ik vraag me af hoe ze dat voor elkaar kregen met dat vuurwerk. Het waren geen buskruitvuurpijlen, dat kan niet.'

'En hoe zou jij dat kunnen weten, Doug?' vroeg Becca cynisch.

'Nou, om te beginnen rook het anders…'

'Alsjeblieft, niet weer een van je belachelijke theorieën.'

Een gezette vrouw liet zich in zichzelf mompelend van de stuurboordvalreep zakken. 'Onzinnig kabaal. Om de doden tot leven te brengen.' Ze droeg een ruim schort met een bloemetjesmotief en makkelijke schoenen met versleten neuzen. Ze had een vriendelijk gezicht, zij het wat roodaangelopen. Ze greep zich vast aan het dolboord en blies haar wangen bol. 'Goedenavond saam.'

KAPITEIN FITZROY MACKENZIE

Door zijn ooglap en stok zag Fitzroy MacKenzie eruit als een piraat. Hij was net zo ondoorgrondelijk als het onderzoeksschip waarover hij het bevel voerde. De tekst bij de foto luidt: Aan boord van de Expedient. Bij aankomst Zuidpool, 1919.

Doug keek omhoog. De kapitein deelde bulderend bevelen uit aan de bemanning. 'Haal die tros binnen en schiet wat op. Sta er niet mee te walsen, man! Dit is een zeewaardig vaartuig, niet een of ander thé dansant!'

'Kom maar met me mee. Het is beter benedendeks te zijn tijdens het verlaten van de haven', zei Mevrouw Ives. Ze ging hen voor naar de kampanje. 'Het is op het dek een drukte van jewelste, kabeltouwen vliegen je om de oren. Als je over een tros struikelt, ben je zo een been kwijt.'

'Kunnen we niet meteen door naar de machinekamer, mevrouw Ives?' vroeg Doug.

'Waarom dat, jongen?'

'Ik zou graag de onderhoudstoestand van de machines doornemen met de eerste machinist, en dan vooral de krukassen.'

'Zulke taal kun je hier maar beter niet uitslaan, jochie', vermaande mevrouw Ives hem. Ze duwde hem in de richting van een waterdichte deur.

❖

Uit Becca's dagboek, 2 april 1920.
Aan boord van de *Expedient*.

Ons nieuwe verblijf is beter dan ik verwacht had. We hebben de hutten 5 en 6; mevrouw Ives omschrijft ze als 'suite', maar het zijn gewoon twee kleine vertrekken, met elkaar verbonden door een tussendeur. Ze dacht dat we het fijn zouden vinden dicht bij elkaar te zijn. Als ik haar iets beter heb leren kennen, zal ik haar vragen om een hut zo ver mogelijk bij Doug en zijn gelukssokken vandaan.

Mijn hut is van alle gemakken voorzien en bevalt me. Even kreeg ik heimwee naar mijn slaapkamer in Lucknow, maar ik zit hier goed tot vader en moeder terugkeren van hun expeditie naar Sinkiang. Een kooi van mahoniehout tegen de lange wand. Daaronder drie laden voor mijn kleren. Naast de deur bevindt zich een kleine schrijftafel, waaraan ik nu zit te schrijven, een paar boekenplanken erboven. De hele inrichting is keurig afgewerkt en het hout glimt in het zachte licht van de olielamp (er is geen elektriciteit in dit gedeelte van het schip). De hut van Doug is het spiegelbeeld van de mijne, maar desalniettemin is hij razend omdat er op mijn deur een bronzen plaatje zit met de tekst OFFICIER DER KANNONIERS.

We hebben allebei een presentje gekregen van de kapitein. Ik kreeg een grammofoon en een aantal langspeelplaten, Doug kreeg aquarelverf en -papier, waarmee hij nu zit te rommelen. Het lijkt erop dat oom weet wat onze liefhebberijen zijn, waarschijnlijk via tante Margaret. Misschien is het leven aan boord van dit schip minder erg dan ik dacht.

We zijn gehuisvest in wat ooit de officiersverblijven waren. Een smalle gang met acht hutten, waarin alles glimt dat het een aard heeft. Meneer en mevrouw Ives hebben de hutten tegenover de onze. De rest van de bemanning slaapt in het manschappenverblijf aan de andere kant van het schip, dus het is hier rustig – buiten de gestage hartenklop van de machines.

Mevrouw Ives is de scheepskok en ze is getrouwd met de stuurman. Ze heeft in onze hutten een enorm dienblad vol pasteitjes en hartige taartjes neergezet. Helaas ontneemt de hitte me de eetlust, en heb ik vooral dorst, maar Doorgeefluik Douglas heeft korte metten gemaakt met zijn deel, en werpt begerige blikken op het mijne.

Voor ze ons alleen liet, heeft mevrouw Ives ons er meerdere keren op gewezen dat het niet toegestaan is om aan de wandel te gaan, aangezien er op het schip vele gevaarlijke plekken zijn. Volgens mij kon ze niet wachten om zich bezig te gaan houden met de ingezwachtelde man die we aan boord gedragen zagen wor-

MEVROUW IVES

Mevrouw Ives, de scheepskok, beschouwde zichzelf als tweede in rang, direct onder kapitein MacKenzie. Ze was in ieder geval het enige bemanningslid dat ongestraft met de kapitein van mening kon verschillen.

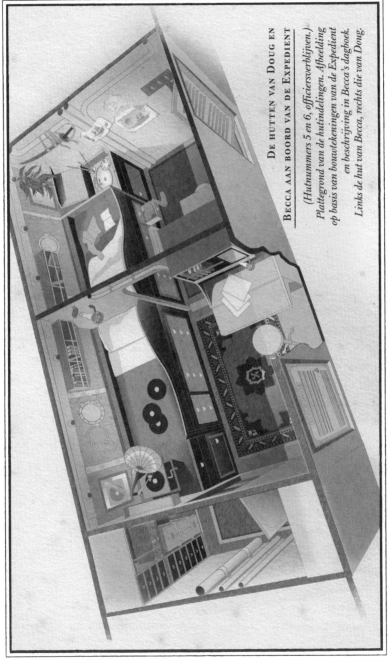

DE HUTTEN VAN DOUG EN
BECCA AAN BOORD VAN DE EXPEDIENT

*(Hutnummers 5 en 6, officiersverblijven.)
Plattegrond van de hutindelingen. Afbeelding
op basis van bouwtekeningen van de Expedient
en beschrijving in Becca's dagboek.
Links de hut van Becca, rechts die van Doug.*

BEKNOPTE SCHEEPSTERMINOLOGIE

AANGEMEERD: *vastliggen met twee ankers; voor- en achtersteven vastliggend aan kade*

BAKBOORD: *linkerkant van een vaartuig wanneer men van achter naar voor kijkt*

BOEG: *voorkant van een schip*

BOK: *dekkraan voor in- en uitladen*

BOOTSMAN: *bemanningslid dat verantwoordelijk is voor het reilen en zeilen op een schip*

BOTENDEK: *dek waar de boten liggen (die alleen als de kapitein opdracht heeft gegeven het schip te verlaten 'reddingsboten' heten)*

BRUG: *plek waar het bevel gevoerd wordt, ligt boven de stuurhut*

BUNKER: *tank voor het opslaan van brandstof*

DOLBOORD: *houten reling aan weerszijden van een schip waarin de dollen bevestigd worden*

FOKKENVAL: *lijn om (een zeil) mee te hijsen of te strijken*

JONK: *chinees zeilschip*

KABELTOUW: *dikke tros van hennepvezel of staal waarmee een schip vastgelegd wordt*

KAMPANJE: *verhoogd dek aan de achterzijde van een schip*

KORVIJNNAGEL: *houten pin om touwen mee vast te zetten*

KIM: *ronding van de scheepsbuik, in dwarsprofiel*

LUIKHOOFD: *opstaande rand die moet voorkomen dat water het schip binnenstroomt*

PATRIJSPOORT: *klein, rond raam in scheepswand*

POORTDEKSEL: *stalen luik dat voor een patrijspoort geschoven kan worden*

ROER(BLAD): *scharnierend stalen blad dat zich aan de achterzijde van het schip onder water bevindt en verbonden is met het roer in de stuurhut*

ROERGANGER: *zie stuurman*

SAMPAN: *klein chinees zeilschip*

SCHUTDEK: *bovenste dek*

SPREEKBUIS: *stelsel van buizen waarmee gecommuniceerd wordt*

STUURBOORD: *rechterkant van een vaartuig wanneer men van achter naar voor kijkt*

STUURHUT: *hut van waaruit het schip bestuurd wordt, bevindt zich op het botendek*

STUURMAN: *bemanningslid dat het schip bestuurt*

VOORONDER: *ruimte in het schip achter de voorpiek, gebruikt als kajuitje*

WERPANKER: *licht anker*

den, en die – zo vertelde ze ons – nu aan het rusten is in de zieken-
boeg. Dus restte er ons niets dan uitpakken en ons installeren. Een
voordeeltje is wel dat we nu weten wat onze bestemming is, mevrouw
Ives vertelde ons dat we op weg zijn naar de Zuid-Chinese Zee, voor
een 'onderzoeksexpeditie'. Wat er onderzocht moet worden, was ook
haar niet helemaal duidelijk. Plotseling beseften we hoe weinig we
weten over onze oom en zijn merkwaardige schip.

Door mijn patrijspoort zie ik de twinkellichtjes van Shanghai
langzaam steeds kleiner worden. We zakken de Jangtsekiang af, op
weg naar open zee.

Ik moet er steeds aan denken dat deze expeditie westwaarts zou
moeten gaan, naar Sinkiang, en niet naar de Zuid-Chinese Zee. De
precieze verblijfplaats van onze ouders is nu al een jaar onbekend.
Doug zegt er niets over, maar ik geloof dat hij ervan uitgaat dat
vader en moeder dood zijn.

❖

Iets na middernacht schudde Doug Becca zachtjes wakker.
Even was ze gedesoriënteerd, en vroeg ze zich af waar ze was,
maar Dougs gezichtsuitdrukking maakte dat ze meteen rechtop ging zitten.

'Stil', fluisterde hij, wijzend naar de deur.

'Wat is er?' Becca hoorde stemmen in de gang en begreep
dat er iets gaande was. Ze zetten haar deur op een kiertje en
keken naar buiten.

Kapitein MacKenzie stond in de deuropening van de hut
naast die van het echtpaar Ives te praten met een man die
ineengezakt op de rand van zijn kooi zat. Het was moeilijk om
het beeld scherp te krijgen, aangezien er slechts één olielamp
brandde in de hut en het gezicht van de man aan het zicht ont-
trokken werd door de arm van de kapitein. Hun nieuwe buurman had een hand in het verband, en uit zijn houding was af

te leiden dat hij ziek was en ergens door gekweld werd. Becca probeerde ze af te luisteren.

'...en je andere wonden genezen al. Was de rit met de ziekenwagen niet te ruw?'

'Nee, kapitein. Mevrouw Ives is een prima verpleegster. Ze heeft deze wond opnieuw verbonden, maar het is minder erg dan zij het heeft doen lijken.' De nieuwe gast sprak met zachte stem en een Frans accent.

'Is dat de man die aan boord gedragen is?' fluisterde Becca.

Doug knikte. Zijn argwaan groeide. 'Dat kan haast niet anders.'

'Maar een paar uur geleden kon hij niet eens op zijn benen staan. Hij zat van kop tot teen in het verband. Moet je hem nu zien.'

'Een verbazingwekkend snel herstel', gaf Doug toe.

Plotseling verhief de Fransman zijn stem, in wanhoop. 'Ik heb het niet gedaan, kapitein! Ik zweer het, ik heb hem niet vermoord. Ik heb de professor niet vermoord!'

'Je bent veroordeeld door de kranten, dat is een ding wat zeker is. Ik moet wel zeggen dat ik de bewijzen goed bestudeerd heb en verre van overtuigd was van je schuld. Ik verontschuldig me voor de handboeien, maar ik wist niet precies hoe je eraan toe was en had de opdracht je met... omzichtigheid te behandelen. In mijn optiek is het enige verdachte aan je handelen je verdwijning, vlak na de moord op Zorid.'

'Ik werd ontvoerd, kapitein! Ontvoerd in Parijs, naar China overgebracht en toen gedwongen om monsterlijke torpedo's te ontwerpen voor die giftige cobra van een Sheng-Fat! Ik ben erin geluisd! In de val gelokt!' De Fransman sprak met gesmoorde stem, hij had zijn gezicht in zijn handen begraven.

'Je bent nog steeds niet de oude.'

'De opium die Sheng-Fat me toediende om mijn geest te breken heeft me verzwakt; ik kreeg er waanbeelden van. Maar kapitein, ik bezweer u dat ik Zorid niet omgebracht heb. U moet me geloven.'

'Ik geloof je.'

'Dat vind ik fijn, dat geeft me hoop', zei de Fransman. Hij zakte iets naar voren en verdween uit het zicht. 'Heeft madame Zing u mijn tekeningen van de magnetometer gestuurd? Het is een nieuw ontwerp, veel krachtiger dan degene waarmee uw schip nu is uitgerust, zoals u mij in uw brief liet weten.'

De kapitein knikte. 'Al drie dagen zijn mijn mannen bezig het apparaat in elkaar te zetten, op basis van je tekeningen. Het elektrische apparaat is bijna klaar en staat in de werkplaats. Volgens Watts zal morgen, rond lunchtijd, de kern gereedkomen. De werkplaats ligt vol kabels, kleppen en meters, maar hij bezweert me dat al die dingen in elkaar passen en dat het schip er niet door in gevaar komt.'

'Heel mooi. Uitstekend. Ik zou graag zien...' De gewonde man begon te haperen.

RUSSISCHE GELEERDE 'VERMOORD'

ZORID WAARSCHIJNLIJK OMGEKOMEN
ZWITSERS LABORATORIUM VERWOEST
LUC CHAMBOIS BESCHOUWD ALS HOOFDVERDACHTE
(VAN ONZE CORRESPONDENT)

ZURICH: Een verwoestende explosie heeft gisteren het laboratorium van professor Zorid, de Russische geleerde in ballingschap, weggevaagd. De ontploffing vond rond één uur in de middag plaats. Het onderzoek breidde zich al snel uit naar Parijs, waar de politie op zoek ging naar de Franse wetenschapper Luc Chambois, die door een onbekende bron werd getipt als de moordenaar. Verscheidene dreigbrieven, door de politie aangetroffen in het huis van Zorid, bevestigden dit vermoeden. Chambois, een medewerker van professor Zorid, is verdwenen, zo meldt de Franse politie. Luc Chambois (25) is 1, 80 lang en heeft donkerbruin haar. Voor het laatst is hij vluchtend

Knipsel uit de *International Dispatch and Review* van 3 maart 1919

(MA632.11 ZORID)

Uit Dougs schetsboek: Zicht op de hut van de Fransman. (DMS 1/21)

'Je moet rusten', zei de kapitein. 'We spreken morgen verder. Het echtpaar Ives heeft de hut hiernaast, voor als je iets
nodig hebt.'

Kapitein MacKenzie draaide zich om en deed de deur dicht.
Hij bleef in de gang even staan om zijn das recht te trekken.
Becca sloot de deur voorzichtig, ze liet de knop pas los toen
hun oom verder gelopen was.

'Ontvoering? Moord? Torpedo's?' zei Doug.

'Ik denk, Douglas, dat onze oom een veel boeiender voogd
zal blijken te zijn dan tante Margaret.'

HOOFDSTUK 2

Toen ik weer in mijn kooi ging liggen, besefte ik dat ik die Fransman eerder had gezien. Maar waar? Later schrok ik wakker, ik wist het weer. Zijn Parijse accent had hem verraden. Het was Luc Chambois, expert in de metallurgie en theoretische natuurkunde.

We ontmoetten Chambois toen vader en moeder ons meenamen naar een lezing van hem, twee jaar geleden in Londen. Het versterken van de moleculaire verbindingen in staal door elektrische stimulering. Saai, saai, saai.

Ik herinner me Chambois niet door het onderwerp (een vreemdsoortig experiment waarbij hij poogde twee bollen ter grootte van een voetbal fijn te drukken), maar door zijn zachtaardige, grappige en boeiende manier van praten. Hij maakte kwinkslagen over de zwaar te verteren kost en hij eindigde met een geweldige truc, waarbij een blauwe vonk van de punt van zijn neus af sprong.

Doug zoog alles in zich op natuurlijk. Ik vermaakte me met de komische voordracht, maar hij sloeg de hele presentatie in zijn geheugen op. Na afloop stelde hij een heel slimme vraag die iedereen versteld deed staan, en dan vooral vader, die opzij keek om te zien of het echt zijn zoon was die naast hem zat.

Daarna hebben we Chambois kort gesproken. Hij prees Doug om zijn vraag en zijn begrip van het onderwerp. Vader overhandigde hem een envelop waar FLORENCE op stond en zei: 'Ga zo door.' Chambois gaf Doug één van de stalen bollen (die hij in Lucknow verspeelde tijdens een bizar experiment, met als gevolg een kapotte ruit en een geruïneerd weekend). Chambois bedankte vader en we namen afscheid.

LUC CHAMBOIS

Raakte gewond in de loopgraven bij Verdun tijdens de Eerste Wereldoorlog. De briljante jonge wetenschapper werd uit het leger ontslagen en tijdens zijn revalidatie kwam hij op het idee voor een apparaat om staal mee te harden. Het Franse leger had belangstelling voor zijn ontwerpen en de 'moleculeversterker' was bijna gereed toen de fondsen opdroogden. Hij bleef echter overtuigd van zijn uitvinding en moest gebruikmaken van particuliere investeerders om zijn project af te kunnen ronden.

Ik dacht pas weer aan die lezing toen ik vorig jaar in een krant las dat Chambois verdwenen was. Hij werd genoemd in verband met de moord op ene professor Zorid, die omgekomen was bij een explosie in zijn Zwitserse laboratorium (nu valt het gesprek van gisteravond op z'n plek). De Fransman werd verdacht omdat de twee rivalen waren. Er werden belastende brieven gevonden en een kruier verklaarde Chambois op de avond van de ontploffing bij het lab gezien te hebben. Het intrigeerde me omdat ik vond dat hij er helemaal niet als een moordenaar uitzag.

Vanmorgen heeft 'Sjieke' Charlie – die ons gisteren ontving – ons een rondleiding gegeven over het schip. We mogen bijna nergens komen omdat het, zo zei hij, 'op veel plaatsen te gevaarlijk is'. Hij is bijna net zo terughoudend als mevrouw Ives, ook hij weidt niet uit over die gevaren.

'Doug, gedraag je alsjeblieft straks', smeekte Becca. 'We moeten een goede indruk maken.'

'Vrouwe Fortuna vaart met ons mee, zusje', antwoordde Doug met een ondeugend lachje.

Becca viel even stil. Zijn overmoed wekte haar argwaan op. 'Je hebt zeker die sokken aan?'

'Misschien.' Hij haalde zijn neus op en veegde hem af aan zijn mouw, terwijl hij de deur van de hut van de kapitein openduwde. 'Maak je geen zorgen. Ik zal me onberispelijk gedragen.'

De deur was nog maar half open toen een enorm gebrul opklonk en een bek vol tanden op hen afvloog. Becca duwde Doug tegen de grond. Het wezen kwam met een harde bons in de corridor op z'n poten terecht. Het was een gigantische tijger met een wit-zwart gestreepte vacht. Hij gromde en ontblootte zijn vlijmscherpe tanden.

'Hertogin! Af!' sommeerde de kapitein.

Doug en Becca kropen de hut binnen en sloten de deur.

'Dat beest is levensgevaarlijk', hijgde Doug. 'Hij moet opgesloten worden!'

Uit Dougs schetsboek: Becca en Doug ontmoeten de Hertogin. (DMS 1/29)

DE HERTOGIN

In de bossen van zuidelijk India raakte de Hertogin als welp gewond door een slecht schot van een jager. De kapitein verzorgde haar, hij bleef drie nachten achtereen op en voerde haar brood met gemalen vlees, gedrenkt in whisky.

De witte Bengaalse tijger komt voor in Centraal- en Zuid-India en is zeer zeldzaam. Het is een solitair levende diersoort. De tijgers kunnen uitstekend zwemmen, maar zijn niet erg bedreven in klimmen. Ze kunnen wel drie meter lang worden.

'Laat haar binnen', baste de kapitein. 'Waarom klopte je niet aan? Zijn dat manieren?'

'Is het van u?' vroeg Doug stomverbaasd.

'Het? *Het?*' zei de kapitein verontwaardigd. '*Zij* is een Bengaalse tijger. De Hertogin. Ze is afgericht om iedereen die hier zonder kloppen binnenkomt weg te jagen. Ze gaat er, geheel terecht, vanuit dat ik ongemanierde mensen niet te woord wil staan.'

Doug opende de deur op een kiertje. De tijger zat beweginglos in de gang. Het hout trilde van haar diepe, langzame gegrom. Hij hield zijn adem in toen hij de deur verder opentrok en het dier binnenkwam, zwaaiend met haar staart.

De kapitein gebaarde dat ze plaats moesten nemen aan een ovale eettafel, die gedekt was voor drie personen. Hij trok zijn vest recht en ging zitten. Hoewel Doug nog niet bekomen was van de schrik glimlachte hij naar Becca en trok zijn sokken op. De Hertogin liep om hem heen, haar neusvleugels trilden. Ze gromde nog één keer zacht en ging toen in een hoek heel beschaafd haar voorpoten liggen likken.

'Heeft ze al veel mensen verscheurd?'

De kapitein negeerde Dougs vraag en

schoof zijn stoel aan. Doug en Becca zaten op een flinke afstand van hem; ze voelden aan dat het eerder een stijf vraaggesprek dan een gezellig samenzijn zou worden.

'Jullie doen je naam eer aan', begon de kapitein. Nu pas hoorde Doug een lichte Schotse tongval in de stem van zijn oom. Hij schoof een stapel brieven en schoolrapporten naar voren en keek ernstig. 'Niet echt een aanbeveling, wel? Drie takken van de MacKenzie's hebben jullie het afgelopen jaar onder hun hoede gehad en niemand die een goed woord voor jullie overheeft. Erger nog, jullie zijn allebei drie keer van school gestuurd in dezelfde periode. Is dat echt waar?'

Becca en Doug knikten.

'Opstandig, onaangedaan, ongehoorzaam… Waar heb ik het?' De kapitein viste een rapport van Dougs laatste biologieleraar uit de stapel. 'Douglas' onmiskenbaar aanwezige intelligentie is verborgen onder een fineer van laksheid. *Waarom apen grappig zijn* is niet het soort opstel dat ik verwacht van mijn leerlingen.'

Becca keek Doug schuins aan.

'Dus jij vindt dat wel grappig, Rebecca? Goed, wat hebben we hier? 'Ontembaar, ongehoorzaam, obstinaat en opstandig.' *Opstandig!* Dat woord bezorgt me koude rillingen. De directrice van je laatste school kreeg het bericht dat je schermtalent je de rol had bezorgd van Robina Hood in de op handen zijnde *rolprent*' – hij spuwde het laatste woord uit – 'over de avonturen van het jongste nichtje van Robin Hood…'

Becca wilde het uitleggen. 'Dat was…'

Haar oom onderbrak haar. Hij was niet in de stemming voor tegenspraak.

'Het staat hier allemaal, zwart op wit. Je toonde een grote behendigheid met een zwaard, de regisseur was onder de indruk van je acteertalent. Hm, je bleek nog andere talenten te hebben, waaronder strafbare neigingen. Je vervalste een brief van je tante Margaret, je spijbelde een week lang.' Zijn blik ging over de brief heen. 'Kijk eens aan. Nog een avonturierster ook. Je reisde zeshonderd kilometer om bij de auditie te komen. Gaf een valse naam op bij een zeer duur hotel...'

'Ik gebruikte de meisjesnaam van mijn moeder.'

'Ik zie niet in waarom dat de hele zaak minder erg maakt. Buiten het feit dat je totaal geen respect hebt voor gezag, heb je de goedheid van mijn zuster Margaret misbruikt. Besef je wel dat je haar veel moeilijkheden hebt berokkend? Wat zouden je ouders hiervan denken?'

Becca verstarde toen haar ouders ter sprake kwamen.

Zonder een antwoord af te wachten, stond de kapitein op en liep naar de patrijspoort. Hij keek uit over de Oost-Chinese Zee, diep in gedachten verzonken.

Doug was razend geworden door deze oneerlijke tirade. Op dit moment haatte hij zijn oom. Welk recht had hij om hen de les te lezen? Ze hadden hem nog nooit gezien! Hij klemde zijn tanden zo stevig op elkaar dat zijn kaakspieren tevoorschijn kwamen.

'Jullie zijn van het kastje naar de muur gestuurd en nu bevinden jullie je op mijn schip, onder mijn gezag. Ik ben het laatst overgebleven familielid, dus we moesten er maar het beste van maken. Feitelijk is dit wat jullie ouders gewild zouden hebben, dus zijn jullie nu aangekomen waar jullie een jaar geleden al hadden moeten zijn.'

'U spreekt over ze alsof ze dood zijn', zei Becca scherp.

'Ze zijn slechts vermist, meneer', corrigeerde Doug hem. 'In de woestijnen van westelijk China. Niemand heeft enig nieuws over hun expeditie.'

'Als ik geweten had hoe onfortuinlijk de situatie was, had ik eerder ingegrepen.'

'Als dit de juiste plaats is voor ons, waarom heeft u ons dan niet eerder laten komen?' zei Doug.

Becca keek hem dreigend aan.

'We zaten vast in het drijfijs van de Zuidpool.' De eenogige blik van zijn oom joeg Doug de koude rillingen over zijn rug. Hij deed zijn ooglapje goed en vervolgde: 'Als een schip vastzit in drijfijs, neef, kun je geen kant meer op. Heb jij wel eens een winter meegemaakt ten zuiden van de zeventigste breedtegraad?'

'U weet heel goed dat dat niet zo is, dus waarom vraagt u mij ernaar?'

'Sla niet zo'n toon tegen mij aan, neef!'

Een ongemakkelijke stilte daalde neer in de hut.

'Oom?' waagde Becca, in een poging de aandacht van haar broer af te leiden. 'Mag ik u vragen waar we naar school moeten als we aan boord van dit schip zijn?'

'School?' De kapitein liet zijn wandelstok neerkomen op de stapel brieven en rapporten. Becca en Doug deinsden achteruit. Hij schoof de paperassen langzaam over het tafelblad, tot ze over de rand vielen en in een prullenbak terechtkwamen.

De boosheid gleed van zijn gezicht af. 'Na regen volgt gewoonlijk zonneschijn. Jullie waren vóór de verdwijning van jullie ouders uitmuntende leerlingen. Douglas maakte zelfs kans op een wetenschappelijke beurs. Ik kan het verband tussen die twee zaken niet negeren.'

'Ik begrijp het niet', zei Becca.

'In eenvoudige taal: jullie opstandigheid is pas ontstaan tijdens de afwezigheid van jullie ouders. Wellicht kunnen we enige regelmaat en evenwicht in jullie bestaan terugbrengen, hier aan boord van dit schip.'

De deur ging open. Mister Teng, de oeroude Chinese hofmeester van de kapitein, rolde de lunch naar binnen op een theewagen. Hij zette het eten met precieze, afgemeten bewegingen op tafel. De kapitein knikte en de hofmeester verdween zonder een woord te zegen.

'Hebben jullie ouders het ooit over Italië gehad?' vroeg de kapitein.

'We zouden de vorige zomer in Florence doorbrengen, maar dat kwam er niet van omdat zij overhaast naar China vertrokken.'

'Dus jullie zouden naar Florence gaan.' De kapitein knikte. 'Ik wou dat ik wist wat ze met jullie voorhadden. Maar deze kleine aanwijzing geeft me toch een richting aan.'

Becca begreep dat er een besluit genomen was waaraan zij geen deel hadden. Maar daar raakten ze al aan gewend. Ze keek naar Doug, en zag dat hij evenmin begreep wat de kapitein bedoelde.

'Goed, we zien wel waar het schip strandt. We geven het een paar weken de tijd en merken vanzelf hoe het loopt.' Hij haalde een keer diep adem en zijn geconcentreerde blik ging over in een brede glimlach. 'Welkom aan boord. Welkom aan boord allebei.'

Terwijl de kapitein de lunch uitserveerde – een of andere benige vis – keek Doug de hut rond. Een aantal ingewikkelde ouderwetse kaarten, met illustraties van dolfijnen, zeemonsters, zonnen en manen, hing aan de wand tegenover hem. Daar hing ook een reproductie van het schilderij *De Ambassadeurs* van Hans Holbein. Doug kende dat schilderij goed. Als hun ouders verhuisden, verhuisde de reproductie altijd mee. Tegen de andere wanden stonden boekenkasten met glazen deuren, gevuld met honderden oude boeken en rollen.

'Ik ben één keer in Lucknow geweest', zei de kapitein plotseling. 'Het staat me bij dat jullie daar woonden?'

'Vader was gestationeerd in Lucknow. We hebben ook in Londen en New York gewoond', antwoordde Becca.

'In ben ook in die plaatsen geweest, heel vaak. Jullie moeder is zoals jullie weten geboren in de staat New York. Een interessant dilemma. Hoe zien jullie jezelf? Als Amerikaanse of Britse staatsburgers?'

'Geen van beide', zei Becca kortaf. 'We zijn geboren in India en hebben daar even lang gewoond als in alle andere landen. Engeland, Amerika, India, ik ben nergens echt thuis.'

De kapitein trok zijn wenkbrauwen op. 'Een verrassend antwoord, gezien je leeftijd. Maar er blijkt wel pit uit. Je bent een kosmopoliet. Je zult je thuis voelen op dit schip.'

Nationaliteiten interesseerden Doug niet. Hij vroeg zich af of de kapitein ooit zeemonsters gezien had en of hij hem zou durven vragen hoe hij zijn oog en been verloren was. Had hij een gevecht geleverd met een reuzeninktvis? Meerdere reuzeninktvissen? En vooruit, een flinke haai op de koop toe?

Het schip rolde naar stuurboord en het laatste spruitje op Dougs bord rolde mee. Hij wilde het op zijn vork prikken, maar miste doel, waardoor het spruitje met een boog tegen Becca's voorhoofd terechtkwam, waarna het keurig in haar glas belandde.

'Doug! Jij…!' Ze schopte naar hem onder tafel.

'Mooi schot, jongeman.' De kapitein lachte bulderend. 'Mooi schot. De groente van mevrouw Ives is niet altijd helemaal gaar. Je hebt je toch geen pijn gedaan, Rebecca?'

Becca wierp Doug duistere blikken toe en glimlachte naar haar oom.

'Nee', mompelde Doug, hijgend, 'maar zij raakte mij ook vol.'

'Het lot bepaalt je familie, zoals de Franse dichter Jacques Delille eens zei, en daarom zit jij opgescheept met je broer en mij.' De kapitein sloeg van pret op de tafel. 'Jammer maar helaas.'

'Ja, leuk is anders', zei Becca. 'Maar als ik me niet vergis, luidt het volledige citaat: 'het lot bepaalt je familie, vrienden kies je zelf.'

Even dacht Doug dat Becca te ver was gegaan. Hij kende haar in deze stemming en hij zag dat het standje van de kapitein inzake het schoolrapport en zijn plezier om het spruitjes-incident iets losgemaakt had in haar.

'Je hebt helemaal gelijk', zei de kapitein, een tikje verrast. 'Je hebt me op mijn plaats gezet. En ik hoop dat je op dit schip vrienden zult maken.'

⁂

'Goed, jullie opleiding.' De kapitein schepte de dikste zoete pudding op die Doug ooit gezien had. 'Ik ben voor alles kapitein ter zee en ik heb geen ervaring in vader of leraar spelen, maar we zullen het wel redden met elkaar. Tot jullie ouders terugkeren uit Sinkiang, en ik weet zeker dat ze terug zullen keren...' Hij zweeg even en keek Becca doordringend aan '...gaan wij over de wereldzeeën varen en zal ik mijn best doen jullie iets te leren. Ik heb een aantal examenopgaven, en ik zou graag zien dat jullie daar eens naar kijken. Jullie ouders hebben deze examens ook gedaan, maar de onderwerpen zijn lastig, en wetenschappelijk. We beginnen met een aantal onderdelen van het quadrivium.'

'Quadrivium?' herhaalde Doug afwezig. Hij voelde zich lekker nu zijn oom gesproken had over zijn ouders alsof ze nog leefden.

'Ik kan je verzekeren dat er geen vragen zijn aangaande de komische neigingen van de primaten, Douglas. Bovendien, aangezien we op een schip zijn, zullen jullie vele wonderen van de natuur met eigen ogen kunnen aanschouwen. Hebben jullie al eens in een onderzeeër gezeten?'

'Nee', zei Doug.

'Dat zouden jullie wel moeten doen. Een reis naar de zeebodem is een geweldige ervaring, en een van de beste leermomenten. We hebben een kleine onderzoeksonderzeeër aan boord. Ik zal zo snel mogelijk een tochtje organiseren.'

'Heeft de machine van die onderzeeër een krukas?' vroeg Doug. Hij veegde de rand van zijn bord schoon met een vinger. Becca keek hem verwijtend aan.

'Wat een vreemde vraag. Nee. Er zit een elektromotor in.'

'Hebben elektrische motoren geen krukas? Dat kan toch niet kloppen?'

'Jullie zullen les krijgen van mij, en van mister Teng, mijn hofmeester, en Charlie. Laat de zwijgzaamheid van mister Teng jullie niet misleiden. Hij is een wandelende encyclopedie en spreekt een tiental talen vloeiend. Zijn kennis van de algebra en natuurkunde is aanzienlijk. Ik waarschuw jullie: ik tolereer geen opstandig gedrag. Ik ben een eerlijk man, maar misdragingen van jullie kant zullen de toekomst in gevaar brengen. Jullie zullen mijn bevelen stipt opvolgen. Zo niet, dan kun je het schip verlaten. Begrepen?'

Doug zag dat Becca nog steeds zat te koken van verontwaardiging, ze luisterde nauwelijks.

> ## HET TRIVIUM EN HET QUADRIVIUM
>
> *Van de klassieke oudheid tot in de Middeleeuwen waren de hogere vrije kunsten opgesplitst in zeven vakgebieden, die waren ondergebracht in twee afdelingen. Het trivium omvatte grammatica, logica en retorica; het quadrivium omvatte muziek, aritmetica, geometrie en astronomie.*

'De eerste les, morgen, zal gaan over morse en het seinen met vlaggen. Het lesmateriaal komt uit het *Handboek voor Zeevaartkunde, deel I*. Op die plank daar ligt het boek. Ook krijgen jullie allebei een exemplaar van het boek van admiraal Nares ter verdieping van jullie nautische kennis. Elke zeeman op dit schip moet een noodsignaal kunnen verzenden. Rekenkunde, geometrie, algebra en de gravitatietheorie komen later wel.'

Interessant, dacht Doug.

'En hoe zit het met sport?' De kapitein stond op. Hij opende een deur in een kast achter zich en pakte er twee schermmaskers uit. 'Ik weet dat jullie van jongs af aan met de schermkunst in aanraking zijn gekomen. Dat is traditie bij de MacKenzie's. Kun jij net zo uitmuntend schermen als je vader, Douglas?'

'Nee, daarvoor moet u bij Becca zijn', zei Doug met enige tegenzin. 'Zij is dodelijk met een rapier, ze jaagt er mensen de stuipen mee op het lijf. Vader gaf ons training, maar toen ze… kregen we niet langer…' Hij struikelde over zijn woorden.

'Aan jou de keus, Rebecca. Sabel of rapier?'

De kapitein opende een tweede kast, waarin een verzameling fraai versierde steekwapens hing. Becca bekeek de verschillende soorten wapens aandachtig.

'Rapier', zei ze, toen ze een zeldzaam Beiers wapen in het oog kreeg.

'Je hebt er oog op, Rebecca.'

Ze pakte het rapier op bij het handvat, tikte op het lemmet met haar duimnagel en hield het bij haar oor om de toon te kunnen horen.

'In het handvat…'

'…zit een pareerdolk die eruit springt als ik de handbeschermer op deze manier indruk', maakte Becca zijn zin af.

De korte dolk sprong uit het handvat en ze ving hem met haar linkerhand op, waarna ze hem meteen weer op z'n plek terugstak.

'O, nee', verzuchtte Doug. Hij wist dat hij het spruitjes-incident nu terugbetaald zou krijgen, maar zou ze ook een duel durven aangaan met de kapitein?

'We prikken natuurlijk kurken op de punten. Ik wil alleen weten hoe behendig je bent met het wapen. Bovendien is het hier te laag voor een echte wedstrijd.'

Niet helemaal gerust zette Doug het schermmasker op en nam de *en garde*-postitie in. Zijn zus deed hetzelfde.

'Jullie houding is niet slecht. Ik kan wel zien dat jullie vader een goede leermeester was. Knieën iets meer gebogen, en Douglas, je wapenhand iets omlaag. Rebecca, jij valt aan en Douglas weert zich met de pareerstoten *quarte, quinte, sexte, septime* en *octave*.'

Doug verweerde zich tegen de aanvallen van Becca. Ze hadden deze stoten en parades talloze malen met hun vader geoefend.

'Goed. Hou de wapenhand laag, Douglas. Nu *riposteren*.'

'Ik ben veel beter met de sabel', mopperde Doug, die een hekel had aan het fragiele rapier. Hij had liever een zwaar cava-leriezwaard, met een gebogen kling.

'Spreek me niet tegen. *En garde*.'

Doug viel aan, maar Becca pareerde zijn stoot zo goed, dat het rapier uit zijn hand vloog en hij struikelde. Per ongeluk trapte hij op de staart van de Hertogin. Het gebrul van de tij-ger deed de hut op zijn grondvesten schudden. Ze had haar angstaanjagende bek wijd open. Becca trok de kurk van de punt van het lemmet en trok het lastige schermmasker van haar gezicht.

Een bladzijde uit het boek dat diende als lesstof voor Becca en Doug. De kapitein wilde dat de jonge MacKenzies knopen leerden maken en een noodsignaal in morse konden verzenden. De aantekeningen van Doug zijn nog net zichtbaar.

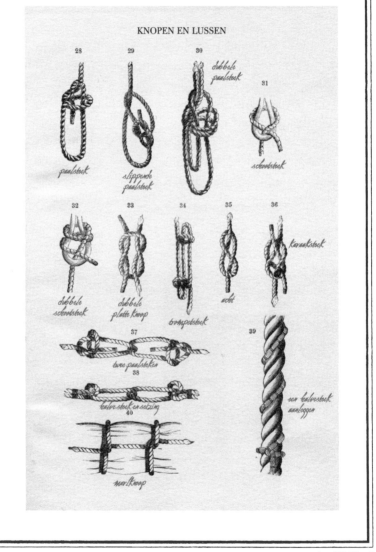

'Hou onmiddellijk op!' riep de kapitein.

Maar Becca vertrouwde het dier niet. Ze richtte het lemmet op de keel van de tijger. Doug krabbelde overeind en liep achteruit in de richting van een met rood fluweel overtrokken sofa.

'Rustig maar, Hertogin', zei de kapitein.

De Hertogin negeerde hem en sloop naar voren, ze wist nog niet welke jonge MacKenzie ze het eerst zou verscheuren.

'Hier!' riep Becca in een poging het dier af te leiden.

Doug greep zijn rapier van de grond en ging in de aanval. Daar stak de kapitein een stokje voor, hij ontwapende hem met zijn wandelstok en ging met een voet op het rapier staan.

'Gedragen jullie je altijd zo?' vroeg hij scherp. Hij riep iets in een Bengaals dialect naar de tijger, die zich onmiddellijk omdraaide en achter de sofa ging liggen.

Becca's bloed kookte nog steeds. Ze liet het rapier zakken en drukte de knop op het handvat in. De pareerdolk sprong eruit.

'Becca! Gebruik je verstand!' riep Doug.

Ze liet de dolk door haar vingers gaan tot ze het lemmet vasthad en kneep toen haar ogen tot spleetjes. Kort daarop vloog de dolk door de lucht. Het lemmet spietste de schedel onderin de reproductie van *De Ambassadeurs*.

'Wel alle donders, er wordt hier met dolken gegooid!' riep de kapitein. Hij leek eerder door het werpen dan door de schade die dat had aangericht te zijn geraakt. 'We zijn hier niet in Sherwood Forest, nicht. Er is geen eer te behalen aan het werpen van een dolk! Geef me je wapen.'

'Die tijger heeft ons nu al tot twee keer toe bijna verscheurd', riposteerde ze. 'Ze hoort in een dierentuin of het oerwoud thuis!'

Uit Dougs schetsboek: Becca werpt de dolk. (DMS 1/38)

'Het is allemaal jullie eigen schuld. Jullie zullen er nog wel achterkomen dat het leven aan boord van de Expedient in niets lijkt op het leven bij jullie tante Margaret.'

Becca overhandigde haar oom het rapier bij het handvat. 'En u zult er nog wel achterkomen dat wij heel goed voor onszelf kunnen zorgen, oom.'

HOOFDSTUK 3

Uit Becca's dagboek, 10 april 1920.

Ik heb een leeg en hol gevoel in mijn maag en dat heeft niets te maken met de beweging van het schip. Ik heb het altijd als ik moet wennen aan een nieuwe plek, maar ik vind het niet leuk. Ik zit nog niet in een ritme, ik weet nog niet waar alles is. Ik heb er een hekel aan om te vragen naar de eenvoudigste dingen, want meestal krijg ik in uitgebreide zeevaarttermen antwoord en die zeggen me zelden iets. Ik wou dat ik thuis was.

Doug is hier zoals gewoonlijk al helemaal thuis en is vrienden met iedereen. Hij kent alle bemanningsleden bij naam, zelfs hun bijnaam. Hij gaat met ze om alsof het oude vrienden zijn, en begroet ze glimlachend. Buiten de aanvaring met de tijger vermaakt hij zich opperbest aan boord van de Expedient.

Ik blijf me afvragen wat er van vader en moeder geworden is. Ik heb het hardnekkige idee dat ze omgekomen zijn van de dorst, na een dagenlange omzwerving in de woestijnen van westelijk China. Ik kan dat niet bewijzen met feiten, maar afgelopen nacht droomde ik erover. Het rare was dat er in de droom overal water was, de woestijn leek te smelten tot een rivier. Vanmorgen besefte ik dat ik gedroomd heb over de rivier de Arno in Firenze*. Dat is een plaats die me lijkt te achtervolgen: op de envelop die vader aan Chambois gaf, stond ook Firenze. We zouden er afgelopen zomer heengaan en onze oom denkt dat de stad op de een of andere manier van belang is voor ons leven. Maar hoe dan? Wat kan die plek te maken hebben met de verdwijning van moeder en vader?

---

* Firenze = Florence

Ik vroeg Doug of hij zich de lezing van Chambois in Londen her-
innerde. Dat hele gedoe met die stalen bollen hield verband met een
apparaat dat 'molecuulversterker' heet, en dat de hardheid van staal
vijfentwintig keer kan vergroten.

We hebben Chambois gisteravond tijdens het eten ontmoet, en hij
wist vaag nog wie we waren, al herinnerde hij zich niet dat hij Doug
de metalen bol gegeven had. Hij zei ook dat zijn geest nog 'niet hele-
maal op orde' was. Hij heeft zijn oude charme weer terug en vertelde
een paar grappen, maar hij zag er vermoeid uit en zijn huid is grauw.
Hij at heel weinig en trok zich voor het toetje terug in zijn hut. Ik hoop
dat hij snel weer de oude is. Ik begrijp niet waarom een Chinees in
Parijs een wetenschapper zou willen ontvoeren!

'Zeventig voet, monsieur Chambois. U kunt nu uw geweldige
uitvinding in werking stellen', zei de kapitein. Hij zat achter
het bedieningspaneel van de Galacia, de kleine onderzeeër van
de Expedient.

Chambois draaide rond in zijn roodleren stoel en drukte
enkele knoppen in op een schakelbord dat vol zat met schuiven, meters en schakelaars. Een diep elektrisch gebrom trok
door de romp van de onderzeeër. Alles wat van metaal was, gaf
een tinkelend gevoel bij aanraking.

'De molecuulversterker!' riep Doug.

'Jazeker', zei Chambois. Hij keek Doug in zijn vragende
ogen.

'Dus u heeft alle problemen waarover u in Londen sprak
opgelost? Het afnemen van de stroomsterkte, de moeilijkheden van de weerstand...'

'Helemaal.'

De molecuulversterker

Ondanks interesse van het Franse leger, werden de theorieën van Luc Chambois inzake het harden van metalen door middel van het versterken van hun moleculaire verbinding door de wetenschappelijke wereld afgedaan als 'krankzinnig'. De advertentie hierboven komt uit een Parijse krant en toont een vroeg prototype van het werktuig. Chambois ging er al vanuit dat de advertentie geen potentiële sponsors zou trekken, tot hij in januari 1918 een brief kreeg van Hamish MacKenzie Esq. met een uitnodiging om uitleg te geven over zijn uitvinding tijdens een lezing in Londen. (Zie aanhangsel 3.)

'En wat wordt er nu versterkt?' vroeg Doug. Hij volgde met zijn blik de draden die van het apparaat naar de romp liepen. 'Maar...' zei hij, '...maar natuurlijk, de romp! De versterker verstevigt de stalen romp, net zoals de bol tijdens het experiment!'

Doug legde een hand tegen de stalen romp. Een gevoel van verschroeiende hitte noodzaakte hem na vijf seconden zijn hand terug te trekken. Afwisselend balde hij zijn vuist en spreidde zijn vingers om het gevoel terug te krijgen. Daarna glimlachte hij vol ontzag en probeerde het nog eens.

'De kapitein heeft als eerste mijn theorieën uitgetest', zei Chambois. 'Dat was onder het ijs in de Rosszee als ik me niet vergis.'

De kapitein knikte. 'Dat klopt. Door de uitvinding van Chambois kunnen we veel dieper duiken omdat de enorme krachten die op de romp drukken beter weerstaan worden. Het is opmerkelijk. Helaas gaat dat niet op voor de vier duikers buiten de onderzeeër. Die kunnen niet dieper dan tweehonderd voet.'

Doug keek door een patrijspoort en zag de duikers zitten, die rustigjes meezakten naar de zeebodem. Dunne stromen luchtbellen ontsnapten aan hun duikhelmen. Spekgladde Sam, Schrokop Swa, Sjieke Charlie en Vlotte Frankie zaten aan de buitenzijde van de romp op speciale stoelen met handgrepen, waardoor ze op ruiters leken. Doug wou dat hij tussen ze kon zitten, met een geavanceerd duikpak en verzwaarde laarzen aan. Hij zwaaide naar ze en zag door het troebele water dat Sjieke Charlie zijn duim opstak.

'We kunnen op zich veel sneller duiken, maar de duikers moeten langzaam wennen aan de diepte, anders lopen ze de gevreesde caissonziekte op. Hun luchtslangen zijn verbonden met een druktank die in de achtersteven zit en dat stelt ze in staat adem te halen.'

'Kapitein', onderbrak Chambois hem. Hij keek in een opening in de versterker, waardoor zijn gezicht groen oplichtte. Hij bekeek de meters en schakelaars, maakte aantekeningen en mompelde in zichzelf. 'Als we weer aan de oppervlakte zijn, wil ik een aantal aanpassingen maken.'

'Zoals je wilt, Chambois. Rebecca en Doug, we gaan verder met onze les. Het zal jullie opvallen dat het aantal vissen en andere zeedieren afneemt naarmate we dieper komen. Het zonlicht dringt steeds minder door...'

De Galacia zakte langzaam maar zeker steeds dieper. Het was een vreemde gewaarwording: er was nauwelijks enig gevoel van snelheid of diepte. Aangezien de machine een elektromotor was, maakte het zoemen van de verstevigde romp het meeste geluid. Becca en Doug luisterden nauwelijks naar de kapitein. Aantekeningen maken was moeilijk in de duisternis. De cabine werd slechts verlicht door de lampjes op het bedieningspaneel en afgeschermde lichtpeertjes boven hun stoelen.

Chambois draaide zich om en keek naar het blauwige, troebele water buiten. Hij veegde condenswater van de meters en bekeek een kaart. 'Iets meer naar stuurboord, kapitein.'

'Heb je enig idee waar het wrak zich bevindt?'

'Het is nu niet ver meer. De meter slaat bijna uit tot in het rood.'

'Welk wrak?' vroeg Becca. Dit was de eerste keer dat een wrak ter sprake kwam.

'De magnetometer die vanaf Shanghai achter de *Expediënt* hing, heeft ons naar het wrak van de jonk geleid. De jonk van waaraf Chambois wist te ontsnappen.'

Shanghai 9ᵗᵉ April 1920

Name		Age	Quality	Place of Birth
Mackenzie	F	45	Capt	Florence, Italy
"	F	15	Able	Lucknow, India
"	g	13	"	"
Watts	A	27	N.? Officer	Canterbury, New Zealand
Clarke	B	39	Able	Hampstead
Leo	E	53	Cookman	New York USA

'Waar heeft u het over?' vroeg Doug.

'De Chinese piratenleider Sheng-Fat heeft onze vriend Chambois ontvoerd en hem gedwongen vijfentwintig torpedo's te bouwen, met gebruikmaking van zoridium voor de torpedokoppen. Afschuwelijke werktuigen met een enorm verwoestende kracht.'

'*Zoridium?*' zei Becca traag. 'Is dat spul niet gebruikt om het laboratorium van professor Zorid mee op te blazen? Zijn eigen grote uitvinding?'

'Dat is te zeggen...' Chambois zweeg en keek de kapitein aan.

'Je kunt het ze wel vertellen, Chambois. Het wordt tijd dat we ze in vertrouwen gaan nemen.'

'Ik ben erin geluisd, maar de politie gelooft me niet. Zij denken dat ik met behulp van zoridium professor Zorid vermoord heb. Het is waar dat ik kort na de ontploffing verdwenen ben, om pas maanden later aan de andere kant van de wereld weer op te duiken, in Shanghai. Maar ik was ontvoerd, en vastgezet op het eilandfort van Sheng-Fat. Hij dwong me die helse torpedo's te bouwen.'

'Maar hoe bent u dan ontsnapt?' wilde Becca weten.

'Ik bedacht een kleine truc...'

'Onzin!' onderbrak de kapitein hem. 'Er is geen reden tot bescheidenheid. Chambois bracht op magistrale wijze een afwijking aan in het prototype van de torpedo, waardoor hij met een bocht terugkeerde naar de plek waar hij afgevuurd werd. Waar of niet, monsieur?'

'Dat klopt. Het was een wanhoopsdaad, een ontsnappingsplan dat ik bedacht tijdens de maanden waarin ik de torpedo ontwikkelde. Ik had het lot en geluk aan mijn kant, voor het eerst sinds lange tijd. Ik zat op de jonk die de eerste test met de torpedo zou uitvoeren en omdat ik geen kant op kon, lette men niet op me. Ik liet me door een geschutsgat in het kielzog van de jonk zakken, vlak voor de torpedo op een weerloos Japanse vrachtschip afgevuurd zou worden. Mijn 'afwijking' werkte en de torpedo bracht de jonk tot zinken. Als ik tien minuten later was ontsnapt, zou ik hier nu niet zitten.'

'Moorddadig', zei Doug, terwijl hij zich de omvang van de ontploffing voor de geest probeerde te halen.

'Hoe bent u erin geslaagd de positie van het wrak te bepalen?' vroeg Becca.

'Zorid had ontdekt dat zoridium niet alleen zeer explosief is, maar ook andere interessante eigenschappen bezit', antwoordde kapitein MacKenzie. 'Fragmenten zoridium worden uiterst magnetisch door de hitte van een ontploffing. Om de positie van het wrak te bepalen, maakten we gebruik van de nieuwe magnetometer van de Expedient. We hebben nieuwe magnetische afwijkingen vergeleken met bekende magnetische afwijkingen in de Zuid-Chinese Zee. En de nieuwe magnetische afwijking, veroorzaakt door het geëxplodeerde zoridium, is zó groot, dat het wrak makkelijk te lokaliseren was.'

'Moorddadig. Megamoorddadig', mompelde Doug. Hij noteerde *lokalisering door magnetisme* in zijn schetsboek, om later verder te onderzoeken. Herr Schmidt, de eerste machinist, had hem een rondleiding gegeven door de machinekamer en hij wist nu precies hoe krukassen ontworpen en gebouwd werden. 'Magnetische locatiebepaling' klonk fascinerend.

De kapitein drukte op een knop in het bedieningspaneel boven zijn hoofd en een krachtige lichtbundel doorkliefde het duistere water voor hen. Op enige afstand lag de verwrongen achtersteven van een jonk.

'Is dat het schip?' vroeg hij.

Chambois leunde voorover, zijn adem deed de ruit van de patrijspoort beslaan. 'Zonder enige twijfel. Kijk, dat is een gedeelte van de spiegel. Ik zie zelfs Sheng-Fats drakentand-embleem.' Met een gekwelde blik liet hij zich terugzakken in zijn stoel. 'Ik had gehoopt het nooit meer te zien.'

De kapitein deed een dieptemeting. Chambois wreef in zijn ogen, alsof hij het afschuwwekkende beeld van verwoesting wilde wegpoetsen. 'Hoe is het mogelijk dat ik zo'n enorme catastrofe heb kunnen bewerkstelligen? Ik schaam me. Ik schaam me diep voor alles wat ik hier in China gedaan heb.'

'Waarom heeft u het dan gedaan?' vroeg Doug nogal bot. 'Ik zou geweigerd hebben.'

HET DRAKENTAND-EMBLEEM

Dit symbool werd door de piratenleider Sheng-Fat gebruikt als eigendomsmarkering van zijn gebouwen en schepen. Het was een teken dat alom gevreesd werd in de Zuid-Chinese Zee.

'Geloof me, Douglas, ik heb geprobeerd me te verzetten.' Chambois' blik drukte een diep verdriet uit.

'Ik zou me niet gewonnen geven. Niets zou me doen buigen', hield Doug aan.

Chambois keek hem ernstig aan. 'Al wat ik zeggen kan, is dit: ik hoop dat je nooit in Sheng-Fats klauwen valt. Zijn methodes om de geest van iemand te breken zijn zó ingenieus dat ik, tegen beter weten in, tegen alles in wat mij dierbaar is, een wapen heb ontworpen dat machtiger is dan elk ander wapen. Kijk naar de wrakstukken van die jonk! Ik ben de enige overlevende. En zoridium kan explosies veroorzaken die nog eens honderd keer zo krachtig zijn. Wat me nog het meest spijt, is dat Sheng-Fat niet op de jonk was.'

'Bovendien is het aanwenden van zoridium als explosief een misdadig misbruik van een unieke hulpbron', vulde de kapitein aan. 'Als Sheng-Fat ooit de ware potentie als...' Hij hield abrupt zijn mond.

'Hoe bent u dan teruggekomen in Shanghai?' vroeg Becca wantrouwig. 'Toen u eenmaal in zee lag?'

'Toen Li-Fat, de jongste van Sheng-Fats twee broers, de torpedo afvuurde, beschreef die een prachtige bocht, terug naar het lanceerpunt. Tegen die tijd was ik al tien minuten aan het zwemmen. De schokgolf was enorm. Ik had een kleine ton bij me en daardoor bleef ik drijven, tot het getij me op de kust van een eiland bracht. Ik ontsnapte met niet meer dan een ton en een flinke omleiding.'

Doug keek bedachtzaam. 'U lijkt niet erg trots te zijn op uw ontsnapping, monsieur Chambois.'

'Ik redde me het vege lijf, maar gaf tevens Sheng-Fat een enorm krachtige torpedo in handen. Daar ben ik niet trots op. En ik had niet alleen moeten ontsnappen. Ik had een manier moeten vinden om alle andere gegijzelden te laten ontkomen.'

Terwijl hij sprak, trok Chambois vanonder zijn overhemd een prachtige diamanten ketting tevoorschijn. Hij liet zijn vingers over de edelstenen glijden. Even verzonk hij in zichzelf, maar toen, omdat hij zag dat hij aangestaard werd, haastte hij zich uitleg te geven. 'Deze ketting is van iemand die een vriendin geworden is op Sheng-Fats eiland. Liberty. Ik vrees dat ze niet meer leeft.' Met een diepe zucht kuste hij de ketting en liet hem terugglijden in zijn overhemd.

'Maar waarom zijn we teruggekeerd naar het wrak?' vroeg Becca. 'De jonk is verwoest.'

'We zijn hier niet voor de jonk', zei de kapitein. 'We zijn hier voor de overblijfselen van de torpedo.'

'Lijkt me nogal veel gedoe voor een hoop schroot', zei Doug.

'Het met zoridium verrijkte staal van de torpedokop is geen schroot', zei de kapitein. 'Het heeft grote wetenschappelijke waarde en aangezien Zorids laboratorium verwoest is, vormen deze brokstukken een zeer kostbare en zeldzame schat.'

Hij stuurde de onderzeeër tot vlak naast het wrak, waar hij met een lichte trilling tot stilstand kwam. Door de patrijspoort zag Doug de duikers afstijgen. De bonkige Schrokop Swa sprong op de zeebodem, zijn laarzen deden een wolk zand opstuiven. Hij trok aan zijn luchtslang, leunde tegen het gewicht van het water in en liep als een man die zich tegen een storm in worstelt naar de jonk.

'We halen nu de elektromagneet uit de bergruimte in de achtersteven', kraakte de stem van Sjieke Charlie uit de luidspreker.

Het geluid kwam als een schok na de stilte van de afzink en Becca schrok op. 'Kunnen we met de duikers praten, kapitein?'

'Natuurlijk. Wil je ze iets zeggen?'

'We bevestigen nu de elektromagneet', zei Schrokop Swa.

'Mooi zo', zei de kapitein in zijn microfoon.

Spekgladde Sam dook op voor de patrijspoort waar Becca en Doug zaten. Hij blies zijn wangen bol, als een vis. Ze lachten en terwijl hij wegliep, zagen ze dat de elektromagneet aan de voorsteven van de onderzeeër werd geklonken. Het ronde apparaat, ongeveer ter grootte van een autoband, was op de zeebodem gericht. De opvangbak die er onder hing, was scharnierend, zodat het opgevangen materiaal er niet uit zou vallen als de onderzeeër heen en weer bewoog.

'Als Zorid het bij het juiste eind had, is zoridium dusdanig magnetisch dat we de brokstukken kunnen oogsten met de elektromagneet', kondigde kapitein MacKenzie aan.

'Moorddadig', fluisterde Doug.

'Magneet bevestigd en stroomkabels aangesloten', rapporteerde Schrokop Swa.

'Prima. Alle duikers terug naar de onderzeeër. We zullen eerst over de achtersteven varen.'

Ze hoorden de duikers weer op hun stoelen klimmen, hun laarzen sloegen tegen de boeg.

Toen hoorden ze de stem van Schrokop Swa. 'Alles gereed, kapitein!'

'Chambois, schakel de elektromagneet in.'

De Kapitein manoeuvreerde de onderzeeër een aantal keer op verschillende dieptes over het wrak, maar toen de duikers de vangst gingen inspecteren, rapporteerden ze dat die bestond uit drie metalen blikken en een roestig zwaard. Tijdens het manoeuvreren had Doug iets gezien waar hij geen touw aan vast kon knopen. Hij zag bij het scherpe kunstlicht iets wegschuifelen over de zeebodem. Hij stelde zich kleine wezentjes voor, die opschrokken van de onderzeeër. Maar hij zag geen lijfjes, hij zag alleen hun sporen en opstuivend zand.

Uiteindelijk begreep hij het. Hij pakte Becca bij haar schouder. 'Ik weet wat er mis is.'

'Welnee', snauwde Becca. Ze keek de andere kant op.

'Jawel. Ik ben er achter.'

De kapitein en Chambois bespraken op verhitte toon de mogelijkheid dat Zorids onderzoek ondeugdelijk was.

'Kapitein...' zei Doug.

'Doug, hou je kop!' zei Becca scherp. 'Hoe kun jij nou weten wat er mis is?'

DE GALACIA

KLASSE IV ONDERWATERVAARTUIG

VERTROUWELIJK MATERIAAL

Tekeningen op schaal – Bestemd voor publicatie

Doug luisterde niet naar haar. 'Kapitein, volgens mij weet ik wat het probleem is. Ik heb goed gelet op de zoridiumfragmenten en ze worden afgestoten door de magneet, niet aangetrokken.'

De kapitein en Chambois draaiden zich om naar Doug.

'Zorid was zeer nauwkeurig over de polariteit. Verklaar jezelf nader', zei de kapitein.

'Eerst dacht ik dat het diertjes waren die wegvluchtten, maar nu denk ik dat het brokstukjes zijn van de torpedo van Chambois die afgestoten worden. Ze hebben dezelfde polariteit.'

Stilte.

Doug keek Becca aan voor steun. Becca keek naar de kapitein, de kapitein keek naar Chambois, fronsend. Chambois knikte. Hij schakelde de magneet uit en verwisselde snel enkele kabels.

'Mooi werk, Douglas. Prima opgemerkt. Zorid voorspelde een positieve polariteit, maar mogelijk is die omgeslagen door de explosie?'

'Dat is mogelijk, kapitein. Zoridium is zeer instabiel', zei Chambois. 'Ik ben gereed om hem weer in te schakelen.'

'Prima. Zet maar aan.'

Nu de elektromagneet weer van stroom voorzien werd, vlogen kleine stukjes torpedo in de richting van de onderzeeër, met stromen luchtbelletjes in hun spoor. De romp lag onmiddellijk onder vuur: een hagelstorm van brokstukken regende op de Galacia neer, metaaldeeltjes botsten met groot geraas tegen metaal en ketsten weer af.

De duizenden stukjes waarin de torpedo uiteen was gespat, en die over een afstand van minstens vijfhonderd meter verspreid lagen, werden nu in een exacte omkering van de explosie aangetrokken. De onderzeeër begon beangstigend te schudden. Een groot brokstuk raakte een van de balansvinnen en bleef steken in de stuurboordpropeller. De linkermotor sloeg af.

'Donders!' riep de kapitein, toen de Galacia op zijn zij zakte en met een bons de zeebodem raakte. De voorsteven veerde terug en boorde zich opnieuw in de zeebodem. De onderzeeër ploegde door het zand. Er ontplofte iets in de accukast. Bijtende rook vulde de cabine. Ze proestten en kuchten.

'Chambois! Ik ben de stuurboordmotor kwijt!'

Maar Chambois lag bewusteloos tussen een wirwar van buizen, er druppelde bloed van zijn wang. De kapitein probeerde hem tijdens het besturen van de Galacia in zijn stoel te hijsen. De onderzeeër richtte zich nog drie keer op en kwam telkens met een klap weer neer. Becca en Doug grepen zich vast.

De stem van Schrokop Swa klonk op door de luidspreker. 'Kapitein! Schakel de magneet uit! De metaaldeeltjes zullen ons aan stukken rijten! Het zijn kogels! Zet af dat ding, in hemelsnaam!'

'De duikers!' riep Doug. 'Sam is geraakt aan zijn arm.'

Buiten liet Sam zich op zijn knieën zakken. Hij greep zijn arm vast, het water om hem heen kleurde rood.

'Mijn luchtslang! Ik ben geraakt!' riep Schrokop Swa. Zijn paniekerige stem kwam verwrongen uit de luidspreker. Doug zag hem, bij de achtersteven van de onderzeeër. Zijn luchtslang was doorboord. Luchtbellen ontsnapten aan de slang, die daardoor in het water danste en sprong.

'Chambois! Verduiveld nog aan toe!' brulde de kapitein. Hij probeerde uit alle macht het vaartuig onder controle te houden. 'Schakel de elektromagneet uit! Chambois!'

Maar de Fransman was te verdoofd om te reageren.

'Laat mij maar, kapitein', riep Becca. Ze klauterde naar voren, boog zich over Chambois heen en schakelde de magneet uit door met haar voet tegen de knop te schoppen. Het metaalbombardement stopte, er trad een spookachtige stilte in. De kapitein zette de bakboordmotor uit en de onderzeeër kwam tot stilstand.

'Frankie!' riep hij. 'Bevestig de reserveslang onmiddellijk aan het pak van Schrokop Swa en kijk naar Sams arm.'

'Charlie is er al mee bezig, kapitein. Er zitten torpedofragmenten vast in de propeller en in het roer.' Hij sprak met horten en stoten, terwijl hij op weg was naar de propeller.

'Driedubbel verduiveld!' riep de kapitein.

'Als de motor in z'n achteruit gezet wordt, komt het wellicht goed', zei Vlotte Frankie.

'Dan moet ik eerst de overbelaste contactverbreker van de stuurboordmotor opnieuw instellen. Die is doorgebrand. Verwijder de metaaldeeltjes uit het roer. We hebben niet veel tijd.'

'Tot uw orders, kapitein', antwoordde Frankie.

'Hebben we het zoridium?' vroeg de kapitein.

'Nu de magneet uitgeschakeld is, ligt het in de opvangbak.'

De kapitein stond op en liep naar de achtersteven. 'Rebecca, neem de plaats van de stuurman in. Raak niets aan tot ik je een bevel geef. Kijk of je iets kunt doen voor Chambois. Douglas, ik heb je hulp nodig met de contactverbreker. Pak die gereedschapskist en een zaklantaarn. Nu.'

Becca kroop naar het bedieningspaneel en ging in de roodleren stoel zitten. Ze keek naar haar bewusteloze copiloot en probeerde hem bij te brengen, maar hij was nog steeds volledig buiten westen. Ze trok hem overeind en bekeek de wond op zijn voorhoofd. Ze stelpte het bloeden met de zijden zakdoek die in zijn borstzak zat.

Doug lichtte in de achtersteven zijn oom bij en gaf hem gereedschappen aan. Rook dwarrelde op uit de contact-verbrekerkast, maar de kapitein werkte onverminderd voort. 'Schroevendraaier…draadschaar…'

Doug keek jaloers achterom naar zijn zus, die aandachtig het bedieningspaneel bekeek. 'Het roer is vrij', rapporteerde Schrokop Swa. 'Het brokstuk dat vastzit in de propeller heb ik losgewrikt, en dat moet vrijkomen als de motor in z'n achteruit gezet wordt.'

'Meld dat je hem gehoord hebt, Rebecca', sommeerde de kapitein, terwijl hij een doorgebrande kabel lostrok.

Ze pakte de microfoon op. 'Eh… Hallo, Becca, ik bedoel: Rebecca hier. Begrepen, Schrokop Swa.'

Ze zette de microfoon terug in de houder. De onderzeeër kreunde en kwam los van de bodem. Binnen enkele seconden richtte de voorsteven zich op en kwam het vaartuig verticaal in het water te hangen. Dougs gereedschapskist schoof naar achteren en knalde met veel geraas tegen het achterste laad-ruim. Hij greep zich vast aan een buis en probeerde steun te vinden voor zijn voeten. De kapitein deed hetzelfde, terwijl hij probeerde de kabels in de contactverbrekerkast bij elkaar te houden.

Becca raakte in paniek. 'Wat heb ik gedaan?' Het bedienings-paneel leek uit zichzelf te werken. De stuurkolom bewoog schijnbaar onafhankelijk.

'Ik zei nog zo, raak niets aan!' schreeuwde de kapitein.

'Dat heb ik niet gedaan!' Becca schudde Chambois door-een. 'Kom op, wakker worden!'

Hij bewoog en na een paar seconden was hij zich ervan bewust dat ze opstegen. 'Is er iets mis met het drijfvermogen, kapitein?' riep hij, zijn ogen wijd opengesperd van angst.

'Wat lees je af van de drukmeter aan stuurboordzijde, Rebecca?' mompelde de kapitein met een schroevendraaier tussen zijn tanden.

Becca keek naar rechts. Daar zaten verwarrend veel verschillende meters. 'Welke?'

Chambois wees. 'Die.'

'10,616 bar.'

'Niks mis met het drijfvermogen. Wat kan het zijn, Chambois?'

'Stop!' klonk de stem van Schrokop Swa. 'In godsnaam! We zitten niet op de onderzeeër!'

Doug draaide zich om naar de patrijspoort en zag de zeebodem onder zich verdwijnen. De vier duikers zwaaiden wild met hun armen. Ze hadden geen tijd gehad zich op hun stoelen te hijsen.

'Stop dan toch!' riep Vlotte Frankie. 'Anders worden we meegetrokken aan onze luchtslangen!'

'Douglas, blijf me bijschijnen.'

'We moeten iets doen', zei Doug.

De kapitein werd nijdig. 'Rebecca, zeg ze dat we onbestuurbaar zijn en dat ze zich schrap moeten zetten.'

De duikers probeerden hun luchtslangen om hun lichaam te wikkelen in een wanhopige poging om te voorkomen dat ze los zouden scheuren van hun duikmasker. Toen de onderzeeër bleef stijgen en de laatste lussen van de luchtslangen rechtgetrokken werden, stegen ze op van de zeebodem als vissen aan een haak.

Sam, die nog steeds bloedde, verloor al snel de greep op zijn slang. Hij tolde rond en werd weerloos aan zijn duikhelm omhoog getrokken. Het was een vreselijk schouwspel, en zijn verstikte stem kwam in flarden via de luidspreker binnen.

'Wat trekt ons omhoog, kapitein?' riep Chambois.

'Ik begrijp het niet. Dit heb ik nooit eerder meegemaakt.'

Doug was verstijfd van afschuw. Zou de verbinding tussen luchtslang en duikhelm sterk genoeg zijn? Of zou hij losscheuren en Sam zonder zuurstof achterlaten? En hoe zat het met de caissonziekte?

'Klaar', zei de kapitein. Hij sloeg de klep van de contactverbrekerkast dicht. 'Rebecca, trek die groene hendel helemaal omlaag. Dat zet de motor in z'n achteruit en daardoor zullen de brokstukken los raken. Doe het nu.'

Becca greep de hendel vast. De motor maakte een gewrongen zoemend geluid, gevolgd door een bons, wat aangaf dat de propeller vrij was. Daarna klonk de motor vertrouwd. Instinctief duwde ze de hendel in de vrij-stand en keek vragend over haar schouder naar de kapitein.

'Prima. Zet nu beide motoren in hun achteruit. Zo ja. De rode en groene hendel tegelijkertijd.'

Beide motoren begonnen te brommen, iets luider nu. Becca schoof de hendels terug tot halve kracht, maar de onderzeeër bleef stijgen. Ze keek Chambois aan, in de hoop gerustgesteld te worden en duwde beide hendels helemaal terug. De onderzeeër begon te schudden en bokken.

'Duw de stuurkolom naar voren. Eens zien of we recht komen te hangen', beval de kapitein.

Het maakte geen verschil. Ze stegen zo mogelijk nog sneller en het vaartuig begon te tollen, wat het er voor de duikers niet veiliger op maakte.

'Het maakt niets uit', zei Becca. Ze liet de stuurkolom los.

'Kapitein, hoe zit het met de molecuulversterker?' vroeg Doug.

'Wat is daarmee?'

'Zou die, naast de romp, ook het zoridium kunnen versterken?'

'Als je er zin in hebt, kun je zeer opmerkelijke wetenschappelijke deducties maken, neef', zei de kapitein. 'Wat denk je, Chambois? Kan het zoridium ook versterkt worden?'

'Ja... Ja, dat is mogelijk.' Chambois knikte, terwijl hij Dougs theorie op zich in liet werken.

'Het maakt me niks uit of het al dan niet mogelijk is. Mijn mannen zijn in levensgevaar daar beneden. Verzin iets!'

'Maar ik heb geen idee hoe de versterker inwerkt op het met zoridium verrijkte staal.'

'Haal je Zorids onderzoek voor de geest!'

Chambois sloot zijn ogen en concentreerde zich. Duizend berekeningen en formules schoten door zijn hoofd. 'Natuurlijk!' riep hij uit. 'De Expedient!'

'De Expedient?' zei de kapitein.

'Ja, de Expedient', herhaalde Chambois. 'Als de molecuulversterker inwerkt op het met zoridium verrijkte staal, maakt ons dat waarschijnlijk uiterst magnetisch.'

'De opvangbak onder de elektromagneet is van staal, kapitein, en staat in directe verbinding met de romp, die op zijn beurt weer in verbinding staat met de molecuulversterker', vulde Doug aan.

'De romp van de onderzeeër is veranderd in een enorme magneet van een onvoorstelbare kracht', speculeerde Chambois. 'En we worden aangetrokken door het grootste metalen voorwerp in de omgeving...'

'Bliksems', vloekte de kapitein. 'Het antwoord is vlak voor onze ogen te zien. Kijk hoe de opvangbak ons voorttrekt. Recht op de Expedient af!'

'De jonk was van hout, de Expedient is van staal. We wor-

Uit Dougs schetsboek: De Galacia op weg naar de oppervlakte. (DMS 1/43)

den naar de oppervlakte getrokken door een tijdelijk magnetisch veld dat opgewekt wordt door het versterkte zoridium!'
concludeerde Chambois.

'Op welke diepte zitten we?'

'Honderdentien voet, en het wordt snel minder', riep Becca. Ze trok nogmaals aan de hendels.

'Dan is de oplossing heel eenvoudig', zei de kapitein.

'Dat zou fijn zijn', mompelde Becca in zichzelf.

'Als we op zeventig voet zitten, kan de romp de druk aan zonder molecuulversterker. We zetten hem uit en daarmee valt het magnetische veld weg. Met een beetje geluk, is de Galacia dan weer bestuurbaar.'

Toen de dieptemeter zeventig voet aangaf, schakelde Chambois de molecuulversterker uit. Onmiddellijk zakte de opvangbak met zoridium omlaag en kwam de onderzeeër horizontaal te hangen. Becca schoof de hendels heen en weer en na een tijdje was het vaartuig weer onder controle.

Kapitein MacKenzie kwam naar voren om het commando over te nemen. 'Dank je, Rebecca. Eersteklas werk. Jij ook, Douglas. Prima gedaan.'

Doug hield de duikers in de gaten, vooral Sam met zijn gewonde arm. Met behulp van de anderen trok hij zichzelf aan zijn luchtslang omhoog.

'Niet echt een les over magnetisme zoals ik me die voorgenomen had', zei de kapitein droog, terwijl hij achterover leunde.

Doug liet zich in zijn stoel zakken. Nooit eerder had een aantal minuten zo lang geduurd. Becca was ook uitgeput. Ze zat met gebogen schouders in haar stoel en ademde diep in en uit.

'Als ik de stabilisatoren opnieuw ingesteld heb, blijven we even liggen op deze diepte', zei de kapitein. 'We moeten ervoor zorgen dat de duikers geen caissonziekte oplopen doordat we te snel stijgen. Geef me dat boek met decompressietabellen eens aan, Douglas.'

De duikers namen hun plaatsen in hun stoelen weer in, ze hoorden hun loden laarzen tegen de romp tikken. Doug sloot zijn ogen en had erg veel zin in frisse lucht.

❖

Uit Becca's dagboek, 11 april 1920.
Zuid-Chinese Zee, 110 zeemijl
zuid-zuidoost van Hong Kong.

Terwijl we wachtten, wilde oom doorgaan met de les, maar ik heb nauwelijks iets gehoord. Mijn hoofd tolde.

Toen ik in de stoel van de stuurman zat, viel mijn oog op de kaart van magnetische afwijkingen in de Zuid-Chinese Zee die oom had gebruikt bij het lokaliseren van het wrak. Die was tien jaar geleden gekarteerd en getekend door mijn vader. Er stond een stempel op: EGS FLORENCE. Wat een vreemd toeval dat oom juist deze kaart gebruikt. Of is het geen toeval? Ik wist natuurlijk dat vader cartograaf is, maar wie of wat is EGS? En waarom duikt Florence weer op? Oom vond het van belang dat onze ouders ons die stad wilden laten bezoeken voor ze naar Sinkiang zouden vertrekken, en nu staat de plaatsnaam plotseling op een kaart die vader getekend heeft. Er is iets gaande, en ik vraag me af wat de rol van mijn ouders is. Heeft het raadsel van hun verdwijning iets te maken met de ontvoering van Chambois en de moord op Zorid? En wat is de rol van mijn oom in dit geheel? Hoe komt het dat Chambois een welkome gast is aan boord van dit schip en waarom helpt oom hem bij het opvissen van het zoridium? Tot nu toe heb ik me alleen beziggehouden met het hoe van de verdwijning van vader en moeder, niet met het waarom. Waarom gingen ze naar Sinkiang? Plotseling heb ik het idee dat de antwoorden dichter bij huis liggen dan ik dacht.

Wellicht kan de Expedient antwoorden verschaffen op enkele van deze vragen. Waarom is ons de toegang tot sommige delen van het schip verboden? Wat bevindt zich voor geheimzinnigs aan boord? Ik moet dat uit zien te vinden. Wij moeten dat uit zien te vinden. Ik heb Dougs vermogen om op verboden plekken te komen nodig, en ik moet gebruikmaken van zijn ontembare nieuwsgierigheid. We zullen dit schip afschuimen tot we precies weten wat er gaande is.

HOOFDSTUK 4

'Wat is de maximale omvang van een explosie die door zoridium kan worden veroorzaakt, monsieur Chambois?' vroeg Doug. Hij draaide aan de halskraag van een bunsenbrander, waardoor een steekvlam de lucht inging met een zeer bevredigend *poef*-geluid.

'Hou daar alsjeblieft mee op, Douglas', zei Chambois. Hij draaide de gastoevoer dicht. 'Dit is een laboratorium, geen speeltuin. Je bent geen kind meer.' Hij sprak zacht, maar Doug voelde zich kinderachtig door wat hij zei. De Fransman was omgeven door een fijn web van bedrading dat de ingewanden vormde van de molecuulversterker. 'Waar is je zuster?'

Doug tikte met een schroevendraaier een antwoord in morse en veranderde toen van koers: 'Waren er slotgrachten en ophaalbruggen?'

'Waar heb je het over?'

'Het fort van Sheng-Fat waar u gevangen zat.'

Chambois antwoordde niet meteen, aangezien hij een lastige verbinding aan het solderen was. Uit gewoonte haalde Doug zijn zilveren zakkompas tevoorschijn en klapte het een paar keer open en dicht. Het viel hem tegen dat het ding zo onnauwkeurig was op zee: de stalen romp van het schip verstoorde het aardmagnetische veld, waardoor het kompas van slag raakte. Maar vanaf het moment dat de torpedobrokstukken aan boord waren, leek het noorden altijd in de richting van het kapiteinsverblijf te liggen.

'Het was een ruïne', zei Chambois. 'Ik zat niet ín het fort gevangen, maar op het eiland. Overdag kon ik gaan en staan waar ik wilde. Ik kon immers geen kant op.'

'U zat toch in een kerker?'

'Eerst wel, ja. Maar toen Sheng mijn geest gebroken had, mocht ik vrij rondlopen, in de buurt van de muren. Ik maakte kaarten in mijn hoofd.' Hij tikte met een vinger tegen zijn slaap en glimlachte. 'Ik mat alles op, telde mijn passen, langs de muren, in de tunnels, op de trappen.'

'U zei dat Sheng-Fat uw geest gebroken had. Waarom maakte u dan kaarten?'

'Mijn geest was gebroken, dat klopt. Maar toen kreeg ik weer hoop. Er arriveerde een gijzelaar, Liberty. Ik wilde een manier vinden om te ontsnappen. Met haar.'

'Uw vriendin? Die van de halsketting?'

Chambois gaf hem geen antwoord. 'Je vroeg me over slotgrachten en ophaalbruggen.'

Dougs ogen lichtten op. Die ketting boeide hem niet zo en hij was blij dat Chambois terugkeerde naar het onderwerp: middeleeuwse versterkingen.

'Er was geen slotgracht en ik heb geen enkele ophaalbrug gezien. De enige manier om van het eiland af te komen was per schip, vanuit de kleine haven aan de voet van het poortgebouw. Een ontsnapping had 's nachts plaats moeten vinden: de kerker uit, de tunnels door, langs de bewakers glippen, bovengronds zien te komen, een jonk stelen en dan wegzeilen. De haven werd altijd zwaar bewaakt.'

De complexiteit van het probleem sprak Doug wel aan. 'Had u niet als piraat vermomd aan boord van een jonk kunnen sluipen? Het slot van de celdeur is een makkie, als je weet hoe je het open kunt krijgen.'

C, weigerde te passeren
dus de gelijkenis is naar herinnering

D.M. 12-15 April 1920

Uit Dougs schetsboek: Chambois aan het werk in het laboratorium. (DMS 1/47)

'Onmogelijk. Sheng-Fat heeft driehonderd bewapende wachters, allemaal met een V op hun kin. Tijdens een of ander barbaars ontgroeningritueel worden ze verminkt. Ze zouden ons binnen de kortste tijd ontdekt hebben.'

'Lastig', vond Doug. Hij wreef over zijn kin. 'Ik zou het getij en de stromingen in kaart brengen en dan een bamboevlot bouwen.'

'Dat zou niet gewerkt hebben. Het eiland ligt mijlenver van het vasteland van China. Liberty en ik hadden bepaald dat onze enige kans lag in het saboteren van de testlancering van de torpedo en dat ik dan hulp zou gaan halen. Ik vrees dat ze dood is. Toen ik in Shanghai aankwam, had haar vader – Theodore da Vine – de handdoek in de ring geworpen en het internationale scheepvaarthandelsverdrag getekend. Sheng had gedreigd Liberty te verdrinken in zijn getijdekooien als haar vader dat zou doen. Door mijn ontsnapping heb ik slechts één leven gered. Het mijne.'

Doug wist niet wat hij zeggen moest, maar hij besefte dat Chambois niet langer de man was die gewond in Shanghai aan boord was gedragen. Hij was kalm als hij sprak, zijn stem was krachtig. Maar er klonk een kil, wraakzuchtig voornemen in door, en dat was nogal beangstigend.

'Ik begrijp niet...' mompelde Chambois. 'De kracht van het magnetische veld dat opgewekt werd door de versterkte torpedobrokstukken was onvoorzien. Tijdens de fabricage van de torpedokoppen had ik er niets van gemerkt. De oplossing van het raadsel moet liggen in een chemische verandering die optrad tijdens de explosie.'

'Het is krachtig spul', zei Doug, die aanvoelde dat hij niets meer te horen zou krijgen over het fort. 'Wat zou er gebeuren als je een ton zoridium tot ontploffing zou brengen?'

'Wat een vraag! Jij denkt alleen maar aan ontploffingen en harde knallen, Douglas. Zie je niet in dat zoridium voor andere doeleinden gebruikt kan worden? Je maakt dezelfde fundamentele fout als Sheng-Fat.'

'Als het zo explosief is, waarom moest hij u dan ontvoeren om die torpedo's te bouwen? Had hij niet gewoon een portie zoridium in een oude torpedo kunnen stoppen?'

'Zoridium is uit zichzelf geen explosief. Dat wordt het pas als er een kettingreactie aan vooraf gaat die binnen een stalen kamer plaatsvindt. Het is terug te vinden in Zorids aantekeningen en vlak voor zijn dood wisselde hij met mij daarover van gedachten. Mijn molecuulversterker interesseerde hem zeer, hij zag in dat die de inperking van de kettingreactie mogelijk zou kunnen maken.'

Doug keek de wetenschapper niet-begrijpend aan.

'Luister. Een zoridium-torpedo zou enorm moeten zijn...' Chambois zocht naar woorden. Hij stond op en liep naar het schoolbord, waarop hij de omtrekken van een torpedo en een stoomtrein tekende. 'Om een grote zoridium-explosie te bewerkstelligen, moet de kettingreactie aanvankelijk ingeperkt worden. Daarvoor heb je een expansiebeperker nodig ter grootte van de stoomketel van een trein, met een wand van anderhalve meter dikte! Sheng-Fat had een onnoemlijk sterke expansiebeperker nodig, die paste in een torpedo met een diameter van drieënvijftig centimeter. Nou, een stoomtrein past niet in een torpedo...'

'Maar molecuulversterkt staal zou de klus kunnen klaren', riep Doug.

'Et voilà!' zei Chambois opgelucht. 'Sheng-Fat ontvoerde me en dwong me een kleine, krachtiger en geavanceerder molecuulversterker te ontwerpen, om een expansiebeperker ter grootte van een voetbal in zijn torpedo's te kunnen hebben.'

'Heeft u meerdere torpedo's gemaakt?'

'Ik was zo afhankelijk van zijn opium, dat ik vijfentwintig van die dodelijke dingen heb gemaakt. Hij heeft een compleet arsenaal aan uiterst explosief wapentuig onder zijn fort liggen.'

'Toch begrijp ik iets nog niet. Hoeveel zoridium bevat elke expansiebeperker?'

67

Ho

164.93032

HOLMIUM

Om zoridium tot ontploffing te brengen, was een reactief chemisch element nodig. Chambois specificeerde holmium, atoomnummer 67. Holmium is een uiterst zeldzaam metaalelement en beschikt over magnetische eigenschappen. Het heeft het hoogste magnetisch moment van alle bekende in de natuur voorkomende elementen.

'O, je hebt slechts een minuscule hoeveelheid nodig. Kijk.'
Chambois graaide een handvol zand uit de brandemmer die
aan de wand hing. Hij liet een torentje zand in de palm van
zijn andere hand lopen, likte aan zijn vinger en pakte zo één
zandkorrel op. 'Kijk, en kijk goed. Ik durf te beweren dat één
korreltje zoridium, samen met het reactieve chemische element holmium, een schip als de Expedient in de grond kan
boren.'

'Maar van de jonk was bijna niets over.'

'In het prototype gebruikte ik zeven korrels', zei Chambois
met een vage glimlach. 'Om mijn ontsnapping te laten slagen.'

'Dus u zou meer torpedo's kunnen bouwen en zo weerstand bieden aan Sheng-Fats dreiging! Als wij torpedo's...'

'Douglas, je begrijpt het niet. Er is geen zoridium meer.
Zorid noch Sheng-Fat hebben ooit onthuld waar zij het vandaan hadden. Het enige zoridium waar Sheng-Fat geen zeg-
genschap over heeft, bevindt zich nu op dit schip. Daarom
deed kapitein MacKenzie zo veel moeite om het op te vissen.'

Doug begon het te begrijpen. Het schroot was uniek.

'Als de bron van zoridium bekend zou zijn, en met behulp
van de molcuulversterker ingeperkt kan worden in iets anders
dan een torpedo', vervolgde Chambois, 'zou dat het aanzien
van de wereld veranderen. Het zou een tweede Industriële
Revolutie ontketenen. Het potentieel is oneindig: een goedkope energiebron voor van alles, van een lichtpeertje tot hoogovens, een alternatief voor gas en olie. Het einde van hongers-
nood, mogelijk zelfs het begin van ruimtevaart.'

'Ruimtevaart? Dat klinkt beter dan een bom!'

'Bravo, Douglas. Eindelijk zie je in dat er meer is dan dingen opblazen!' riep Chambois. Hij sloeg met zijn vlakke hand
op de werkbank. Het verband dat om zijn hand zat, liet los.

*Sheng-Fat dwong Cham-
bois zijn moleculairverster-
ker te verkleinen zodat
die in de beperkte ruimte
van een torpedo zou pas-
sen. De stalen expansie-
beperker is te zien voorin
de torpedo. De explosie
werd ingeleid door hol-
mium op het zoridium af
te vuren via een slag-
kwikontsteker. De ket-
tingreactie die daardoor
ontstond, werd 0,3 secon-
den lang in de versterkte
bol vastgehouden, waar-
na een explosie plaats-
vond die duizend keer
sterker was dan die van
een standaard 53,3 cm
torpedo.*

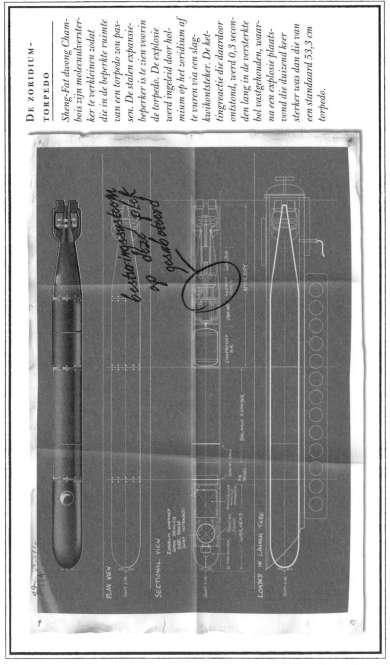

Doug hield zijn adem in. 'Monsieur Chambois! Wat is er met uw vinger gebeurd?'

Chambois hief zijn hand en keek naar de afgezette pink, en het verse litteken. 'Mijn aandeel in Sheng-Fats lievelingsketting. Gemaakt van de botjes van de pinken van zijn slacht-offers.'

Doug deinsde vol afschuw achteruit. 'Draagt Sheng-Fat uw pink?'

'Jazeker. Nu heb je me lang genoeg van mijn werk gehouden, Douglas.' Chambois balde zijn verminkte hand tot een vuist en tikte kalmpjes GA JE ZUS HELPEN BIJ HET LEREN VAN DE MOR-SECODE op de werkbank.

Doug vertrok naar zijn hut. Onderweg schoot de mogelijkheid van ruimtevaart met behulp van zoridium door zijn opgewonden gedachten.

HOOFDSTUK 5

Uit Becca's dagboek, 16 april 1920.
In de buurt van de Straat van Formosa.

Ik probeer morse onder de knie te krijgen, morgen geeft de kapitein een proefwerk. Doug, hoe kan het ook anders, heeft vorig jaar al morse geleerd, toen hij een plotselinge interesse had in radiotelegrafie. Ik werd gek van zijn onophoudelijke getik op welk oppervlak dan ook, alsof hij een overspannen drummer was, dag en nacht! Nu stuurt hij me korte berichten door over zijn gesprek met Chambois met behulp van een penseel en een buis die door onze hutten loopt.

MORSEALFABET				MORSECIJFERS	
A	·—	N	—·	1	·————
B	—···	O	———	2	··———
C	—·—·	P	·——·	3	···——
D	—··	Q	——·—	4	····—
E	·	R	·—·	5	·····
F	··—·	S	···	6	—····
G	——·	T	—	7	——···
H	····	U	··—	8	———··
I	··	V	···—	9	————·
J	·———	W	·——	0	—————
K	—·—	X	—··—		
L	·—··	Y	—·——		
M	——	Z	——··		

DE EXPEDIENT

Q-schip van de Monarch-klasse, gebouwd voor de Britse Speciale Militaire Eenheden
Geregistreerd in Queenstown, Ierland, augustus 1915
Overgegaan in particuliere handen op 10 augustus 1916

De Expedient *was een zogenaamd Q-schip, gebouwd om aanvallen door Duitse U-boten af te slaan tijdens de Eerste Wereldoorlog (1914-1918). Het waren in feite als koopvaardijschepen vermomde oorlogsschepen die Duitse onderzeeërs naar de oppervlakte lokten door zonder escorte te varen. Zulke koopvaardijschepen werden vaak door dekgeschut van onderzeeërs tot zinken gebracht. Wanneer de bemanning van een U-boot aan dek was, liet een Q-schip haar reddingsboten zakken om de vijand naderbij de lokken, en wierp vervolgens haar vermomming af om het vuur te beantwoorden. Maar in 1916 had de Duitse marine de Britten door en liet 'verdachte vaartuigen' meestel ongemoeid.*

Men gaat ervan uit dat er ongeveer 200 Q-schepen gebouwd zijn, sommige namen deel aan beroemde zeeslagen. Vele waren eenvoudigweg omgebouwde vissers- of koopvaardijschepen. Wat de 'Q' precies betekent, is onbekend, het zou de eerste letter van Queenstown kunnen zijn, waar een marinebasis was.

(MA 556.24 EXP)

De Expedient *was een van de machtigste Q-schepen: het onderscheidde zich voornamelijk door de twee 25 cm-kanonnen (zie ook pagina 100-101). Ze was in staat om onderzeeërs, slagschepen en geschutsinstallaties aan de vaste wal vanaf grote afstand onder vuur te nemen. Ander geschut omvatte twee torpedobuizen, een mijnenleggerinstallatie en een twaalfponder op het achterdek. Er was een verkenningsvliegtuig aan boord en de verschillende dekken en de romp waren bepantserd. De ombouwkosten waren zeven keer zo hoog als de oorspronkelijke bouwkosten en in de hoogste admiraliteitskringen werd het schip met groot misprijzen bekeken (in een rapport staat het volgende te lezen: 'vlees noch vis, een kolossale en rampzalige verkwisting van belastinggeld').*
Na slechts twaalf maanden actieve dienst werd het schip verkocht om een deel van de astronomische ombouwkosten terug te verdienen. Ze zette in augustus 1916 koers naar Brooklyn (Verenigde Staten), waar ze weer omgebouwd werd. De mijnenleggerinstallatie werd verwijderd om plaats te maken voor een onderzeeërdek, en de machines werden omgebouwd van kolengestookt tot oliegestookt.

Ik sprak vanmorgen met Doug over het onderzoeken van de geheime delen van het schip. Toen bleek dat hij vanaf het moment dat we aan boord kwamen elke nacht al 'uitstapjes' heeft gemaakt! Daarom was hij wakker toen de kapitein met Chambois kwam praten, de eerste nacht van ons verblijf op het schip.

Hij rapporteerde zijn verkenningstochten in begrijpelijke taal en beschreef dat dit deel van het schip zelfvoorzienend is, en bijna helemaal afgescheiden van het voorste gedeelte, buiten een trapleer die via het verblijf van de kapitein naar het dek voert. Het dek waarop gepatrouilleerd wordt.

Maar Doug heeft al een oplossing bedacht om op het dek te komen. In de vloer van de badkamer zit een inspectieluik, dat toegang geeft tot de schroefaskoker en de ingewanden van het schip. Van daaruit heeft hij een route gevonden, over de olietanks en oude kolenruimen heen, naar een verfkast, die hij Piccadilly Circus heeft genoemd, in het hart van het verboden deel van het schip. Ik vroeg hem of hij mij naar de radiohut zou kunnen leiden. Een makkie, zei hij; zelf was hij er ook al geweest. We zijn het erover eens dat dat dé plek is om te beginnen. Als we er tussen middernacht en vier uur 's ochtends kunnen komen, is er geen wacht, noodsignalen worden dan doorverbonden naar de brug. 'We gaan het commando overnemen', zei Doug.

De radiohut van 'Bougie' Watts stond tjokvol ontvangers, zenders en transformatoren. Het zoemde er van de elektriciteit. Het telegraaftoestel stond klaar voor gebruik in het midden van de overvolle werktafel, de koptelefoon lag ernaast. Het schip deinde en een potloodstompje rolde heen en weer tussen twee ongebruikte notitieblokken. Becca was overdekt met

Onderzoeksschip

Expedient

VERTROUWELIJK MATERIAAL

Tekeningen op schaal – Bestemd voor publicatie

kolenstof, schaaf- en snijwonden van de klautertocht door het schip. Ze voelde zich een misdadigster.

'Doen we hier verstandig aan, Doug? Ik bedoel...'

'Als dit verstandig was, zou ik het niet doen', grinnikte hij. 'We moeten in die kasten zien te komen, daar zit het echte werk in. Ik heb de sloten vorige week bekeken en ze zijn vrijwel gelijk aan die van de laden in onze hutten. Ik heb ze in een mum van tijd open.'

Hij trok twee spelden uit Becca's haar en probeerde een kastje naast de werktafel te openen. Becca hinkte op twee gedachten: ze wilde Doug berispen voor zijn gedrag, maar ze wilde ook dolgraag meer weten over haar oom en het schip. Doug beet op zijn lip. Uiterst geconcentreerd wrikte hij met de uiteindes van de haarspelden in het slot, tot het met een droge klik opensprong.

'Kijk wat je kunt vinden, Becca. Ik probeer het onderste kastje.'

Becca haalde een dun schriftje tevoorschijn, onderdeel van een serie van ongeveer dertig schriftjes. Ze sloeg het open en bekeek de bovenkant van de bladzijde: EGS *codeboek Cijfer B (drievoudig)*. Bladzijden vol letters en cijfers, rij na rij na rij. Ze begreep er niets van, dus pakte ze een

DE SCHEEPSWACHTEN

De dag is onderverdeeld in zeven wachten:

EERSTE HONDENWACHT *00.00 tot 02.00 uur*
TWEEDE HONDENWACHT *02.00 tot 04.00 uur*
DAGWACHT *04.00 tot 08.00 uur*
VOORMIDDAGWACHT *08.00 tot noen*
ACHTERMIDDAGWACHT *noen tot 16.00 uur*
PLATVOETWACHT *16.00 tot 20.00 uur*
EERSTE WACHT *20.00 tot 00.00 uur*

De hondenwacht is opgesplitst om tot een oneven aantal wachten per dag te komen. Dit houdt in dat de bemanning elke dag een andere wacht loopt.

Na de ramp met de Titanic werd de internationale scheepvaartwet aangepast: grotere schepen werden verplicht een 24 uurs-noodsignalenwacht in te stellen.

ander schriftje, met de titel *Cijfer F*, maar ook dat was totaal onbegrijpelijk.

'Gelukt.' Doug snoof en opende het deurtje. Het kastje lag vol boeken en paperassen. 'Kijk eens hier', zei hij. Hij haalde een stapeltje papieren uit een vakje waar DUPLICAATBERICHTEN op stond en gaf het aan haar. 'Niet door elkaar maken', zei hij. 'Dan verraden we ons meteen.'

'Ik hoef van jou geen les in opruimen, Douglas MacKenzie.'

Becca begon de papieren te lezen, zonder in de gaten te hebben dat Doug een ander vakje in het kastje probeerde open te krijgen. 'Dit is allemaal heel saai. Weerrapporten… nog meer weerrapporten… noodsignaal van olietanker *Calcutta Maid*, kapotte krukas…' Ze zweeg even. 'Bericht van de *Calcutta Maid*: probleem verholpen, zetten reis voort. Hieruit gaan we niet ontdekken waar vader en moeder zijn.'

'Probeer dit eens.'

Doug smeet nog een stapel berichten op de werktafel. Ze waren geschreven op blauw papier en aan de bovenkant stond een stempel: GEHEIM. Becca bekeek het eerste bericht.

'*Bestuur keurt fondsen goed. Expedient mag bijtanken in Shanghai.* Van wanneer is dit bericht? Gisteren. Is er gisteren iets gebeurd?'

Doug dacht even na. 'Niet echt. Niets bijzonders.'

'We zijn van koers veranderd. We voeren naar het zuiden. Nu varen we noord-oost, in de richting van de Straat van Formosa, en dan gaan we terug naar Shanghai, denk ik. Waarom keren we terug?'

Ze bladerde door de paperassen heen en zag toen iets dat haar deed verstijven.

'*Bergstrom, EGS steunzender, Lucknow, India.*'

'Dat kan niet. Een radiozender in Lucknow kan nooit over

zo'n afstand telegraferen', zei Doug op een toon die geen tegenspraak duldde.

Becca vouwde het bericht open, trok de lamp dichterbij en begon te lezen.

'Drievoudig gecodeerd. Cijfer F. Subcode D4464. Signaalsterkte 4. Bericht luidt:

Aan kapitein MacKenzie, Expedient. Na lang en rijp beraad heeft de raad van bestuur van het Edelhoogachtbare Gilde van Specialisten te Florence...'

'Wie zijn dat?' vroeg Doug. Hij staarde Becca aan. Het gezicht van zijn zus was wit weggetrokken en hij zag dat haar handen beefden. 'Wat is in godsnaam het Edelhoogachtbare Gilde van Specialisten? Zouden we die hebben moeten ontmoeten in Florence?'

'Dit is heel belangrijk', antwoordde ze. Met onvaste stem las ze verder.

'...besloten, met zeven stemmen voor en vijf stemmen tegen, om het door u voorgelegde plan met de naam GEHEIME MISSIE JERICHO ROOD te steunen. Daartoe vorderen we de diensten van de Expedient, die onder uw bevel staat, om de door u gestelde doelen te bereiken. We stemmen in met de doelen van de missie, te weten:

(1) het bemachtigen van alle overgebleven monsters Zonnedochter (zoridium) die in bezit zijn van de piratenleider Sheng-Fat, om die weer in handen te stellen van de eeuwenoude orde van de Sujing Quantou, de enige rentmeesters en beschermers van het Zonnedochter, om op die wijze eer te doen aan onze overeenkomst met genoemde orde, zoals vastgelegd in het Verdrag van Khotan, getekend in het jaar 1720...'

'Vreemd. Zoridium staat dus ook bekend onder een andere naam. Ik dacht dat Zorid het pas onlangs ontdekt had', peinsde Becca.

'Het lijkt erop dat dit zonnedochter veel ouder is en dat de Sujing Quantou – wie dat dan ook zijn mogen – er al eeuwen van weten', redeneerde Doug. 'Zorid is vast gestuit op een goed bewaard geheim. Zal Chambois er ook van weten? Hij denkt dat het enige zoridium de fragmenten zijn die we van de zeebodem gehaald hebben.'

'We mogen niet gesnapt worden. Ik lees verder', fluisterde Becca, plotseling zenuwachtig.

(2) het zoeken naar en vernietigen van de moleculuversterkers die door onze bondgenot Luc Chambois gebouwd zijn tijdens zijn gevangenschap in het fort van Sheng-Fat, om zo de geheimen van de staalversterkende technologie te beschermen.

Om te voorzien in een dekmantel voor onze activiteiten, zijn verklaringen uitgegaan naar verscheidene buitenlandse regeringen, waarin we ze op de hoogte brengen van onze plannen om Sheng-Fat uit te schakelen, om zo het onlangs gesloten internationale scheepvaarthandelsverdrag te beschermen. Hun dankzeggingen én aanbiedingen voor geheime fondsverstrekkingen zijn, zoals gewoonlijk, in dank aanvaard bij de raad van bestuur.

Zoals u zult weten, is deze missie gebonden aan eeuwenoude bepalingen en bondgenootschappen, en zal vóór aanvang van de missie toestemming moeten worden gevraagd bij de orde van de Sujing Quantou in Shanghai.

Aangaande uw voordracht van Luc Chambois als volwaardig lid van het EGS: de raad ziet geen kans om daarop in te gaan, aangezien de moord op professor Zorid tot op heden niet opgelost is. Hij blijft vanzelfsprekend wel buitengewoon lid en vriend van het gilde en zal, met uw toestemming, aan boord van de Expedient verblijven, als gast en speciaal adviseur.

    Het staat u volledig vrij op een door u te bepalen wijze beide doelen te bereiken.

Getekend: de Raad…'

Het gebrul van de Hertogin deed Becca zo schrikken, dat ze het bericht liet vallen. Doug sprong op en stootte zijn hoofd tegen de openstaande deur van de kast. De Hertogin staarde hen een paar seconden aan door het ventilatieluik en verdween toen grommend uit het zicht.

    'Dat beest kan hier toch niet binnenkomen?'

    'Maak je niet druk om die tijger en berg alles weer op zoals je het aangetroffen hebt', snibde Becca. Ze kroop onder de werktafel om het bericht van de grond te rapen. 'Niemand mag weten dat we deze berichten gelezen hebben.'

    Ze gingen snel te werk, en borgen de stapels paperassen weer op in het kastje. Het lukte Doug om het onderste kastje binnen tien seconden op slot te krijgen, en het andere kastje zat even later ook weer dicht. Becca zette de lamp op zijn plek. Een snelle blik overtuigde ze ervan dat alles was als bij binnenkomst en ze kropen de kruipgang in. De Hertogin was nergens te bekennen, al hoorden ze haar wel brullen in de verte.

    Toen ze Piccadilly Circus naderden, voelde Doug zich zeker genoeg om te blijven staan en zijn gelukssokken op te trekken. 'Missie geslaagd', grinnikte hij.

HOOFDSTUK 6

Uit Becca's dagboek, 19 april 1920.

Ik heb veel nagedacht sinds het vinden van het bericht. En er is heel veel om over na te denken.

Om te beginnen: onze oom voert niet uitsluitend het bevel over een onderzoeksschip. Zijn werkzaamheden lijken bepaald te worden door dat Edelhoogachtbare Gilde van Specialisten, of EGS – wat dat ook mag zijn.

Hij en het EGS lijken gebiologeerd door zoridium of zonnedochter. Waarom moet dat spul bedekt worden met een mantel van geheimhouding?

En dan vader en moeder. Hebben zij iets van doen met het EGS?

Bepaalde zaken lijken daar op te wijzen: de kaart die door vader getekend is en het telegram vanuit Lucknow, waar we ze voor het laatst gezien hebben. De connectie tussen Lucknow, Florence, de kapitein en Chambois vormt een stevige basis voor mijn hypothese.

Mocht dit alles waar zijn, is ons leven tot nu toe bepaald geweest door een geheim, en ik ben boos dat moeder en vader ons nooit iets verteld hebben. Ook vraag ik me af of onze toekomst afhangt van die EGS. Ik heb het gevoel dat oom ons voorbereidt op iets met al zijn natuur- en scheikundelessen. Maar waarop? En waarom?

Mijn besluit om vaker 's nachts op onderzoek uit te gaan, is vaster dan ooit. Het bericht dat we aantroffen in de radiohut was een openbaring. Welke andere geheimen zullen we ontdekken?

Het alarm ging af toen een les Engelse literatuur door Sjieke Charlie net op z'n einde liep. Het onderwerp van Charlie was 'Het gebruik van de kleur rood in *Tess of the D'Urbervilles* van Thomas Hardy' en het boeide Doug geen zier. Zijn laatste opmerking ('Dus geen grote schietpartij bij Stonehenge?') had Charlie doen stotteren van opwinding. Becca zat in een hoek, met proppen katoen in haar oren, *David Copperfield* te lezen.

Ives stak zijn hoofd om de deurpost heen. 'Rebecca, Doug, de kapitein wil dat jullie naar je hut gaan en daar blijven.'

'Is het een brandoefening?' vroeg Doug.

'Nee. Charlie, we ontvingen een noodsignaal van een schip dat belaagd wordt door piraten. Neem de gevechtswacht in.'

Becca en Doug volgden Ives naar hun hut, een dek lager.

'Jullie moeten beloven dat jullie hier blijven. Niet weglopen, begrepen?'

'Ja', zei Becca.

Ives draaide zich om en sprong met twee treden tegelijk de trap op. Doug kroop al over zijn kooi heen naar de patrijspoort.

'Wat gebeurt er, Doug? Gevechtswacht? Waarom?'

'Geen idee. Ik dacht dat dit een onderzoeksschip was, geen slagschip. We keren om. Geef me mijn verrekijker eens aan. Laten we eens goed kijken.'

De Expedient stoomde nog steeds op volle kracht vooruit en maakte iets slagzij omdat ze draaide. Doug stelde scherp op twee schepen in de verte: het ene was een vrachtschip, het andere een grote, zeewaardige jonk met zeilen die de kleur van opgedroogd bloed hadden.

'Moorddadig! De jonk valt het vrachtschip aan! Mannen klimmen langs valrepen omhoog om het te enteren. Er zijn zeker zestig of zeventig piraten aan boord.'

'Is het een jonk van Sheng-Fat?'

'Dat kan ik niet zien', antwoordde Doug. 'Wacht. Ja! Ik zie het drakentandembleem. Precies als op het wrak! Mochten we nou maar het dek op!'

Toen gebeurde er iets zeer onverwachts. Er ging een sirene af, en daarna klonk een ruisend geluid. Vervolgens een verscheurende knal die het schip deed schudden. Dat werd gevolgd door een droge, fluitende toon.

'Wat was dat? Zijn we geraakt? Zinken we?' vroeg Becca.

Doug liet zich verbaasd op zijn kooi zakken. Verschillende mogelijkheden schoten door zijn hoofd. 'Dat kan niet', zei hij bij zichzelf.

'Wat kan niet?'

Juist toen Doug zijn hoofd uit de patrijspoort stak, spoten twee waterfonteinen op naast de jonk.

'Becca, we zijn niet geraakt!' Hij draaide zich lachend om. 'Wat we hoorden was het afvuren van twee grootkaliber kanonnen. Wij beschieten de jonk! De Expedient moet verborgen geschut hebben.'

'Gaan ze ons tot zinken brengen met een zoridium-torpedo?'

'Dat lijkt me niet. Ze liggen achterstevoren en de kapitein heeft de jonk onder schot.'

Het alarm ging nog eens af en de hut schudde opnieuw op zijn grondvesten door een enorme knal.

'De jonk vaart weg. De kapitein heeft ze verjaagd. Dus dat is wat hij voor ons verborgen heeft gehouden. Het schip is tot de tanden bewapend. Haar grote geheim is haar geschut.' Dougs nieuwsgierigheid ontvlamde door dit formidabele bedrog. 'Het geschut moet zich in het laadruim bevinden. Maar hoe kregen ze het zo snel aan dek?'

Uit Dougs schetsboek: De jonk valt het vrachtschip aan. (DMS 1/54)

'Ik zie rook opstijgen van het vrachtschip', zei Becca, turend door haar eigen patrijspoort. 'Hebben we het geraakt?'

'Nee. Met zulke grote granaten zou het schip in de lucht gevlogen zijn. De piraten hebben brand gesticht. Becca, dit wordt me te veel, ik ga aan dek.'

'Ze zullen je zien! Het mocht niet!'

'Het is een drukte van belang boven, ik glip er wel doorheen. Ik kom in de kombuis zonder gezien te worden.'

Doug luisterde niet naar Becca's protesten. Hij rende de hut uit en de trappen op naar het dek. Hij sprintte naar de kombuis, waar hij meer kon zien omdat die aan beide zijden patrijspoorten had. Tot zijn verrassing zag hij dat wat hij voor de aardappelopslag hield in feite een neproef was, die een stuk geschut verborg, zo te zien een twaalfponder. De roef was verwijderd, het geschut klaar om afgevuurd te worden, met voldoende ammunitie. Maar het kanon was onbemand. Hij merkte dat Becca naast hem stond.

'Dat is niet een van de belangrijkste stukken geschut', zei hij. 'Die staan vast op het voordek.'

'Waar zijn de kanonniers?'

'Die zijn voor bezig. Vanaf hier zouden ze toch niets kunnen raken. Als ik nu toch eens dichterbij kon komen...'

'Zo is het al gevaarlijk genoeg.'

De Expedient naderde de beide schepen, maar leek op de vrachtvaarder af te stevenen en niet op de jonk.

'Ik kan de naam lezen. Het is de Rampur Star. De bemanning verlaat het schip! Ze laten reddingsboten te water!'

Rook wolkte omhoog uit de voorste ruimen van de Rampur Star en oranje vlammen braken door een waterdichte deur in de buurt van de brug heen. De Expedient had het vuren gestaakt en het geluid van de machine stierf weg.

'Waarom achtervolgt de kapitein de jonk niet?' vroeg Doug. 'We hebben ze bijna te pakken.'

Het was of de kapitein zelf antwoord gaf. Hij stond boven hen op de brug. 'Haal de overlevenden aan boord! Klauternet en kabels! Gereedstaan met de brandslangen! We gaan langszij.'

'Snel. Voor we hier niet meer weg kunnen', riep Becca.

Ze glipten door de kombuisdeur en renden in elkaar gedoken over het dek naar het trapluik. Ze sprongen de trap af en holden naar hun hutten. Becca liet zich op haar kooi vallen, lachend van opluchting.

Ze hadden het gehaald. Niemand had ze gezien.

Het was na middernacht. Doug schrok op van Becca's stem. Hij stond op het punt Piccadilly Circus te verlaten toen ze zijn naam fluisterde.

'Wat is er?'

'Ik ga met je mee', zei ze hijgend.

'Jij?'

'Ja, ik. Ik heb zelf een zaklamp.'

'Het is laat. Waarom ga je niet slapen?'

'Ik wil alles weten. Het zit me dwars dat we op een schip zitten dat niet is wat het lijkt te zijn.'

'Ik ga op zoek naar geschut, verder niks. Hou je stil en blijf in de buurt.'

'En de overlevenden van de Rampur Star? Die moeten hier ergens zitten.'

'Die zitten helemaal voorin. Dat weet ik van mister Teng.'

Ze slopen door een lange kruipgang tot ze bij een deur kwamen waar CITADEL - NOODUITGANG op stond. Doug was hier vier dagen geleden al geweest, maar had toen niets kunnen onderzoeken.

De wand van het waterdichte schot was hier heel dik en de deur was veel zwaarder dan andere deuren op het schip. Met z'n tweeën kregen ze hem open. Aan de andere kant zat een stalen ladder die drie dekken met elkaar verbond. Doug klemde de zaklamp tussen zijn tanden en begon te klimmen. Becca volgde hem.

Ze kwamen uit op een duister dek, direct onder het luik van het laadruim. Toen zagen ze het. Twee stukken geschut. Stil. Majestueus. Dreigend. Reusachtig. Neergelaten, verborgen onder het dek, staand op hydraulische hefinrichtingen, klaar om zich op te richten en toe te slaan als twee dodelijke slangen. De taps toelopende kanonslopen strekten zich uit in de duisternis en glansden blauw en olieachtig in het zwakke licht van de zaklamp. De vuurmonden verdwenen in de schaduwen. Er hing hier een bepaalde geur. Ze hadden al iets vreemds geroken toen ze in de kombuis zaten, en nu kwam de geur weer aandrijven: cordiet.

'Verborgen kanonnen. Absoluut moorddadig!'

Dit was het meest afgeschermde deel van het schip. Becca en Doug liepen vol ontzag door, alsof ze in een kerk waren. Ze hoorden hun eigen voetstappen. Hun ogen wenden aan de duisternis en ze ontwaarden een verhoging, van waaraf de bemanning de kanonnen konden laden. Ze beklommen een ladder en kwamen op een platform tussen beide kanonnen uit. Ze bekeken de stootbodems en laadplateaus. Alle onderdelen glommen in het zwakke licht, de kanonnen zouden door reuzen gemaakt kunnen zijn.

CORDIET

Een explosieve stof waarbij nauwelijks rook vrijkomt, gebruikt als stuwstof. Uitzettende gassen stuwen projectielen met grote kracht uit een loop. Cordiet bestaat uit nitroglycerine, kanonkatoen en vaseline.

Doug sloeg met een hand op het stuurboordkanon en sprong weer op het dek. Hij richtte zijn zaklamp op de enorme hydraulische hefinrichting. 'Hiermee worden ze bovendeks in vuurpositie gebracht', zei hij. De bouten van de pistons waren groter dan zijn vuist. 'Moorddadig. Stel je de steeksleutels voor om die dingen uit elkaar te halen!'

Becca kwam omlaag, de schaduwen in. Ze zag iets raadselachtigs. Het was groot en plat, gemaakt van hout en canvas, en stevig bevestigd aan de scheepswand. Een vleugel, dacht ze.

'Zou de kapitein hier een vliegtuig hebben staan?' fluisterde ze.

'Waarom niet?' Doug richtte de zaklamp op zijn zus en daarna op wat ze ontdekt had. In de lichtbundel was de romp te zien van een ouderwets ogende vliegmachine, de motor zat achter de bestuurdersstoel. 'Je hebt gelijk. Het is een watervliegtuig. Ik heb er wel eens een afbeelding van gezien. Kijk,

HET GEHEIME GESCHUT VAN DE EXPEDIENT

Het geschut van de Expedient was een kopie van geschutsstellingen zoals die aan de wal gebruikt werden, met een hydraulisch hefmechanisme. De kanonnen verhieven zich boven een bepantserde 'geschutsput' en zakten door de terugslag terug in laadpositie. De bediening werd op deze manier nooit blootgesteld aan vijandelijk vuur. Dit systeem werd aangepast voor de Expedient, het geschut werd verborgen in wat een laadruim leek te zijn.

De twee kanonnen met een diameter van 25 cm waren een unieke en tamelijk kostbare innovatie, zeker voor die tijd. Ze stonden opgesteld in een soort roterende geschutstoren, waarin tevens de munitie (granaten en cordietbommen) vanuit de opslag aangevoerd werd. Aangezien de kanonnen zeer zwaar waren, kon de geschut-storen slechts tien graden naar stuur- of bakboordzijde zwenken om de stabiliteit van het schip niet te verstoren. Dit betekende dat het vaartuig vrijwel recht op het te beschieten doel moest liggen.

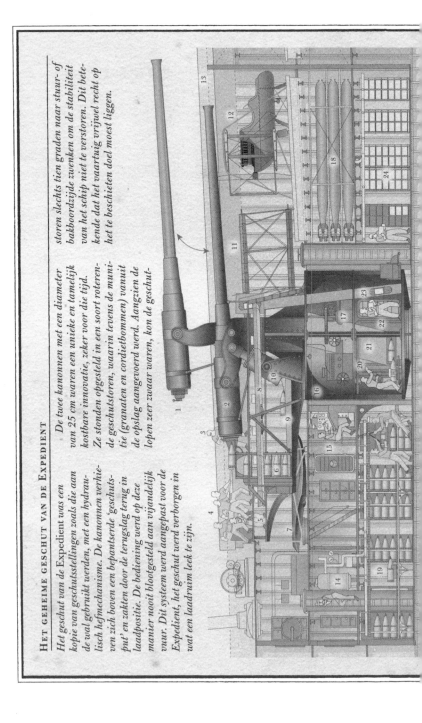

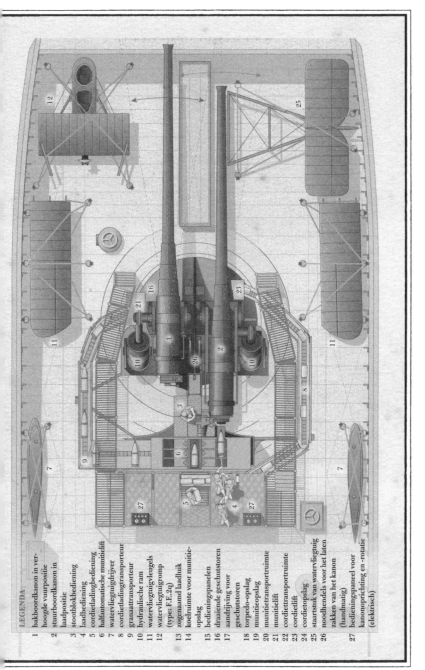

LEGENDA

1 bakboordkanon in ver-
   hoogde vuurpositie
2 stuurboordkanon in
   laadpositie
3 stootblokbediening
4 laadbediening
5 cordietladingbediening
6 halfautomatische munitielift
7 watervliegtuigdrijver
8 cordietladingtransporteur
9 granaattransporteur
10 hydraulische ram
11 watervliegtuigvleugels
12 watervliegtuigromp
   (type: F.E.24)
13 zogenaamd laadluik
14 koelruimte voor munitieopslag
15 bedieningspanelen
16 draaiende geschutstoren
17 aandrijving voor
   geschutstoren
18 torpedo-opslag
19 munitieopslag
20 munitietransportruimte
21 munitielift
22 cordiettransportruimte
23 cordietlift
24 cordietopslag
25 staartstuk van watervliegtuig
26 noodhendels voor het laten
   zakken van het kanon
   (handmatig)
27 bedieningspaneel voor
   kanonoprichting en -rotatie
   (elektrisch)

(MA 556.29 EXP)

daar staan de drijvers waarmee het op water kan landen. Ze tillen de onderdelen met de bok uit het ruim en zetten het op het dek in elkaar. Er ontbreekt trouwens wel een propeller en er zijn een paar stijlen kapot. Het zal wel een noodlanding gemaakt hebben, na een geheime missie.' Hij fluisterde bewonderend. 'De kapitein heeft prachtige dingen staan hier, en ik wil wedden dat we nog maar de helft gezien hebben.'

Doug liet zijn zaklamp zakken, maar Becca – die er altijd van gedroomd had te kunnen vliegen – liep traag langs het vliegtuig en liet een hand over het canvas glijden.

'Je zou moeten leren vliegen, zus.'

'Denk je?'

'Waarom niet? Je kon goed overweg met de onderzeeër. De kapitein zei het zelf. Een vliegtuig is bijna hetzelfde. Lucht in plaats van water.'

Een aanlokkelijk uitziend rond luik in het dek trok zijn aandacht. Het was net als de deur van zo-even afgesloten met een waterdicht sluitmechanisme. Hij draaide aan het goedgesmeerde wiel en het luik sprong open.

'Doug, waar ga je heen?' siste Becca. 'We hebben genoeg gezien. Laten we weggaan voor we gesnapt worden.'

'Kom op. Jij wilde toch meer weten over het schip? Misschien vinden we wel aanwijzingen over het gilde. Niemand weet dat we hier zijn.'

Becca liep snel naar het luik. Doug verdween door de opening. Een stalen ladder leidde omlaag, de duisternis in. Onderaan de ladder zat een bronzen plaatje aan de wand. CORDIET-MAGAZIJN. UITSLUITEND BEVOEGD PERSONEEL. OPEN VUUR VERBODEN. ONTPLOFFINGSGEVAAR.

'Het is hier koud, alsof er gekoeld wordt', riep Doug omhoog. Hij stopte de zaklamp onder zijn riem.

'Doug. Doug! Het kan gevaarlijk zijn!'

'Denk aan alle delen van het schip die we nu nog niet kennen. Herr Schmidt heeft me van alles verteld over de elektrische aandrijving.'

'Wat?'

'Het schip heeft ook elektromotoren, naast de drie expansiemachines.'

'Ja, en?' Becca hoorde Doug neerkomen op het dek beneden haar.

'Dat betekent dat het schip over korte afstanden vrijwel geruisloos kan varen. Er moet hier ergens een ruimte zijn met gigantische accu's.'

'Heeft hij je dat ook verteld?'

'Ja. Ik vroeg hem waarom de Expedient twee soorten aandrijving had en toen zei hij dat het schip in de oorlog als proefbank is gebruikt voor onderzeeërmotoren. En toen hield hij ineens zijn mond, alsof hij al te veel verteld had.'

Op dat moment begon tot Becca's afschuw het wiel van de waterdichte deur achter haar te draaien. De drie sluitgrendels klikten een voor een open. Doug hoorde het ook, hij klom razendsnel de ladder op. Becca greep hem vast en samen kropen ze in de schaduwen tussen de beide stukken geschut. De deur zwaaide open, lichtbundels beschenen het dek.

'Ze lopen de nachtronde', fluisterde Doug.

'Als we daarboven kunnen komen', zei Becca, wijzend op de enorme hydraulische hefinrichting, 'zitten we veel hoger dan zij.'

Doug begreep wat ze bedoelde. Als ze boven ooghoogte lagen en zich stil hielden, zouden ze onontdekt kunnen blijven. Hij zag Vlotte Frankie rondkijken. Ze hadden weinig tijd.

Hij probeerde steun te vinden voor zijn voeten en klom omhoog. Hij gleed uit en zakte naar beneden, waarbij zijn linkervoet een hefboom raakte. Met een bons landde hij op het dek en viel tegen Becca aan. De hefinrichting begon te sissen en het stuurboordkanon richtte zich op. Het sloeg een gat in het dichtgeschoven laadluik. De planken versplinterden terwijl het kanon zich verder verhief en uitkwam in vuurpositie. Doug krabbelde overeind en ging naarstig op zoek naar een hendel om het kanon weer omlaag te krijgen.

Het zoeklicht bovenop de brug ging aan, waardoor ze als acteurs op een toneel uitgelicht werden. Vlotte Frankie kwam aanrennen en trok Becca uit de schaduw vandaan.

'Ik denk dat we de kapitein moeten wekken.'

'Dat is niet nodig', zei een stem op het dek. Hun oom keek omlaag door het gat in het laadluik. Wat hij vervolgens zei verraste Doug en Becca hogelijk. 'Jullie komen morgen om acht uur in mijn hut eten. Tot die tijd geen lessen. Ga nu onmiddellijk terug naar jullie hut.' En tot Frankie: 'Wek de wapenbediening en laat ze het kanon met de hand omlaag brengen.'

HOOFDSTUK 7

Doug klopte hard op de deur van de kapiteinshut en wachtte netjes tot hij hem 'Kom binnen!' hoorde roepen.

De kapitein was druk in gesprek met Chambois en keek nauwelijks op toen zijn neef en nicht binnenkwamen.

'...en de puinhopen van Zorids laboratorium zijn twee dagen geleden doorzocht met een elektromagneet. Ik kreeg vanmiddag bericht dat er geen spoor van zoridium aangetroffen is. Wetenschappelijke analyse door EGS-medewerkers toonde aan dat de explosie veroorzaakt was door dynamiet.'

'Zorid is vermoord, dat is duidelijk. Maar niet door mij.'

'Jouw woord is niet voldoende om je naam te zuiveren, mijn beste. Zijn onderzoeksgegevens zijn niet teruggevonden op de plek van het misdrijf.'

'Maar ik heb u toch al verteld dat Sheng-Fat zijn paperassen heeft. Ze zijn niet verloren gegaan tijdens de explosie, net zomin als het buisje zoridium van Zorid.

'Ik geloof je wel, maar een rechtbank is moeilijker te overtuigen. Die zal aanvoeren dat het een mijl op zeven was voor Sheng-Fat om naar Europa te reizen, jou te ontvoeren en Zorid te doden.'

'Wie zegt dat Sheng-Fat dat gedaan heeft? Mijn ontvoerders waren geen Chinezen. Twee ervan waren Frans en aan de geur van zijn sigaretten te ruiken was de derde een Duitser. Ze smeten me achterin een bakkerswagen. Er reed een Rolls Royce achter ons aan, de bestuurder droeg een witlinnen pak, helemaal tot aan het 17de Arrondissement. Ik vermoed dat hij de

BOHR EN EINSTEIN

In 1920 vervulden deze beide wetenschappers een voortrekkersrol in de theoretische natuurkunde. Einsteins revolutionaire relativiteitstheorie en Bohrs werk inzake kwantummechanica veranderden het begrip van de structuur en de werking van het heelal.

Einstein kreeg in 1921 de Nobelprijs 'voor zijn rol binnen de theoretische natuurkunde en vooral voor zijn ontdekking van de wet van het foto-elektrische effect'. Bohr won dezelfde prijs een jaar later 'voor zijn rol bij de onderzoekingen naar de structuur van atomen en de straling die ze afgeven'.

moordenaar van Zorid is, mij heeft laten ontvoeren en me in Singapore aan Sheng-Fat heeft overgedragen.'

'Dan moeten we de man in het witlinnen pak vinden, monsieur Chambois, en hem voor het gerecht brengen. We zullen er later verder over spreken. Nu gaan we eten.'

Er werd gegeten in een voor Doug en Becca ongemakkelijke stilte. De kapitein keek ze nauwelijks aan, en besprak met Chambois het laatste werk van Bohr en Einstein. Doug had de hele dag buikpijn gehad bij de gedachte aan de straf die de kapitein voor ze in petto had, maar tot nu toe maakte die geen woord vuil aan de gebeurtenis van afgelopen nacht. Dit was nog erger. Als hij honderd keer *Ik mag niet spelen met het geheime geschut op het schip, zeker niet na middernacht* had moeten opschrijven, zou hij weten waar hij aan toe was. Dit wachten was afschuwelijk. Hij raakte zijn eten nauwelijks aan en zag dat Becca ook niet veel at.

De kapitein rukte hem uit zijn gedachten. 'Jullie hebben je naam weer eer aangedaan. En ik maar denken dat we vooruitgang geboekt hadden.'

Hij leunde naar achteren en pakte een map van een kastje. Bewijs, dacht Doug. Dit ziet er slecht uit.

'Eens even zien. Ik wil er zeker van zijn dat ik alles goed heb. Ik herinner me dat ik tijdens onze eerste gezamenlijke maaltijd heb gezegd dat jullie mijn bevelen stipt moesten opvolgen, of anders het schip moesten verlaten.'

Becca's gezicht was als uit graniet gehouwen. Hun oom pakte er een handgeschreven briefje bij met datums en tijden.

'De dag erop, Douglas, vertelde je Herr Schmidt dat ik toestemming had gegeven om je een rondleiding te geven door de machinekamer, waarbij extra aandacht uitging naar de krukassen.'

'Doug!' siste Becca. Ze wist niet dat hij gelogen had.

Doug haalde zijn neus op.

'Ik ben bang dat ik die toestemming niet gegeven heb', zei de kapitein. 'Maar goed, je had in ieder geval een gids. Ik heb hier een verslag van twee nachten later. De brugwacht meldde dat het dekzeil van een reddingsboot niet op zijn plaats lag.'

'Dat kan iedereen gedaan hebben.'

'Leg jij mij dan eens uit hoe het kan dat drie dagen geleden mijn marconist merkte dat er kolenstof op dit bericht zat en hoe het vakje waarin het lag 's nachts uit zichzelf open was gesprongen.'

Becca keek Doug schuins aan. Hij had slechts twee sloten dicht kunnen krijgen.

De kapitein haalde het Lucknow-bericht uit de map, waarop een duimafdruk zat. 'Voor je zegt dat deze veeg simpelweg inkt is, ik heb hem laten analyseren in het laboratorium. Het is kolenstof uit het leegstaande kolenruim, waar ik trouwens vanmiddag dit voorwerp aantrof: een wollen muts, met de initialen DM. Hier.' De kapitein wierp de muts over de tafel heen.

'Om je hoofd warm te houden wanneer je weer eens aan dek gaat tijdens gevechtshandelingen. Ik zag jou en je zuster gisteren als een paar ruimratten uit de kombuis glippen terwijl jullie in je hut hadden moeten zijn.'

Chambois schoof ongemakkelijk heen en weer in zijn stoel. Doug keek naar zijn voeten.

'Ik zal het niet eens hebben over het incident met het geschut. Jullie zullen morgen als we Shanghai binnenlopen aan wal gezet worden. En terugkeren naar tante Margaret in San Francisco.'

'Maar krijgen we niet nog een tweede kans?' probeerde Doug. 'We krijgen altijd een tweede kans.'

De kapitein staarde hem onbewogen aan met zijn ene oog. 'Jullie sluipen over het schip alsof het jullie schip is, permitteren je vrijheden met mijn tijd en geduld, gapen je door mijn lessen heen terwijl jullie schoolprestaties van een beschamend niveau zijn, en het ergste is dat jullie al mijn bevelen in de wind geslagen hebben. Jullie hebben gelogen, gestolen, verboden papieren gelezen, geschut bediend, en op de staart van mijn tijger gestaan. Jullie hebben het verpest hier, net zoals overal het afgelopen jaar. Jullie zijn je ouders tot schande. Dit is geen school, Douglas. Hier kennen we geen tweede kansen. Het is een schip. Mijn schip. Jullie hebben mijn schip en haar bemanning in gevaar gebracht. Vannacht had er iemand kunnen omkomen. Jullie hadden kunnen omkomen, tijdens de tochten door de buik van het schip. Het cordietmagazijn! Ik durf er niet aan te denken wat er gebeurd zou zijn als er een vonk was ontstaan!'

'Maar oom, waarom houdt u zo veel voor ons geheim? Als u ons verteld had wat er gaande is, zouden we niet op eigen houtje op onderzoek zijn uitgegaan', zei Becca koppig. 'Vertelt u ons alstublieft wat het EGS is.'

'Je blaast te hoog van de toren, Rebecca. Er is hier geen plek voor jullie. We meren morgenochtend in Shanghai aan. Jullie gaan met mij aan wal, samen met de overlevenden van de Rampur Star. Ik zal voor jullie een overtocht boeken op de stoomboot naar Amerika.'

De kapitein verschoof zijn stoel, waardoor hij zich afwendde van Doug en Becca. Er viel een pijnlijke stilte. De kapitein richtte zich tot Chambois, die met zijn mes zenuwachtig broodkruimels tot een hoopje veegde op het tafelkleed. Doug en Becca bleven zitten, terneergeslagen door de uitbrander.

'Chambois, denk je dat het idee van een mistmachine, waar ik het eerder over had, zou kunnen werken? De mist zou rond het schip blijven hangen?'

'Ik... Dat lijkt me wel', antwoordde de Fransman. Hij keek naar Doug en Becca. 'We moeten dan natuurlijk eerst een elektrostatische voltageversterker bouwen...' Hij sprak toonloos.

'Mijn laboratorium staat je ter beschikking. Ga onmiddellijk aan de slag.' De kapitein keek over zijn schouder naar zijn neef en nicht. 'Verdwijn. Ga jullie koffers pakken. Morgenochtend om negen uur verlaten jullie het schip. Ik heb verder niets te zeggen.'

Becca en Doug stonden zwijgend op en verlieten de hut. De Hertogin vergezelde ze tot aan de deur.

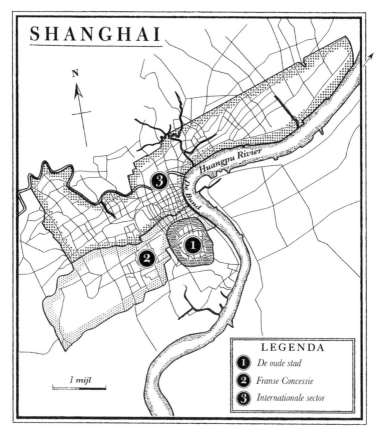

(MA 449.06 SHANG)

SHANGHAI

Rond 1920 was Shanghai verdeeld in drie sectoren: de oude stad (waarvan de ommuring dateert uit 1553), de internationale sector en de Franse concessie. Aan het einde van de eerste Opiumoorlog (1842) werd het Verdrag van Nanking getekend, waarin aan de Britten handels- en verstigingsrechten waren verleend. Amerikanen en Fransen volgden al snel. Toen de stad groeide, kwamen de Amerikanen tussen de Britten te wonen, waardoor de internationale sector ontstond.

Het ontstaan en bestaansrecht van Shanghai rustte op één pijler: de handel. De vraag naar uitheemse Chinese goederen als thee, porselein en zijde was enorm groot. De ligging van de stad, nabij de Jangtsekiang, een van de belangrijkste handelsroutes door China, betekende dat alle goederen er gemakkelijk terechtkwamen. De buitenlandse handelaren in de haven verscheepten de goederen naar alle windstreken. Mensen maakten fortuin en de stad ontwikkelde zich als een op het westen georiënteerde hoofdstad van oosterse handel en bankzaken.

HOOFDSTUK 8

Ik zit hier omringd door mijn koffers en vraag me af waar ik ze zal uitpakken. Een aantal mensen is afscheid komen nemen. Verrassend genoeg kwam Chambois tien minuten geleden langs en hij gaf me de diamanten ketting. Hij zei dat hij hem niet langer nodig had en misschien kon ik 'er mijn voordeel mee doen'. Ik stond zo versteld dat ik niet wist wat ik zeggen moest. Hij wilde niet praten, maar zei wel dat hij vond dat de kapitein iets te streng was geweest.

Ik zit nu naar de diamanten te kijken, ze weerspiegelen de lichten van Shanghai, die op dit moment langs mijn patrijspoort glijden. Het is een rijk versierd sieraad, en het is net of er een grote hoeveelheid machineolie tussen de zilveren vattingen terecht is gekomen. Ik vraag me af wat er van de eigenaresse geworden is.

Waar is het allemaal misgelopen? Had ik Doug moeten tegenhouden toen ik merkte dat hij 's nachts over het schip zwierf? Dat kon ik niet, want ik wilde zelf ook weten hoe het zat. En we hebben in één nacht meer ontdekt over ons leven dan in het hele jaar ervoor. Nu weten we in ieder geval dat ons lot in handen ligt van dat Edelhoogachtbare Gilde van Specialisten.

Wegens omstandigheden ben ik verworden tot een leugenaar, een slotenbreekster, een lezeres van geheime documenten. Mijn situatie bepaalt wie ik ben, alleen en op drift – samen met Doug – op een zee van ellende, geleid door invloeden van buitenaf. Ik probeerde alleen mijn veilige plekje te beschermen.

Ondanks de vreselijke toestand (want dat is het, we moeten immers van het schip af), voel ik een vreemde nieuwe energie en daadkracht. San Francisco en tante Margaret zullen geen antwoord verschaffen op de vele vragen die me voortdurend bezighouden. Alles wat we op het schip ontdekt hebben, heeft de ene brandende vraag gevoed die Doug en ik moeten beantwoorden: wat voerden vader en moeder uit in Sinkiang?

'Shanghai is als een pompend hart, haar bloed is de handel die China in- en uitstroomt', legde de kapitein uit. Zijn riksja en die van Becca lagen nek aan nek, en ze reden met een aardig gangetje. Hij moest opzij leunen om zich verstaanbaar te maken in het straatrumoer. 'De Jangtsekiang en de Huangpou zijn de slagaders. Maar dit is niet het echte China. Je hoort hier evenveel Indiase of Britse tongvallen. Het is de wereld in het klein, met slechts één doel: geld verdienen. Naar mijn smaak iets te onbeschaafd.'

Ze hadden kort ervoor het kantoor van de stoombootmaatschappij verlaten en de kapitein was al te laat voor een volgende afspraak. Hij had een zware houten kist bij zich, die Doug deed watertanden van nieuwsgierigheid: de noordpijl op zijn zakkompas was er de hele ochtend al op gericht.

'Is je broer nog in de buurt?'

Doug reed achter hen in zijn eigen riksja. Hij stond rechtop en leek de bestuurder te mennen als een hedendaagse wagenrenner.

'Dat vraag ik me wel eens af', mompelde Becca in zichzelf.

'Jullie schip vertrekt dus over een week, Rebecca. Tot die tijd verblijven jullie in een hotel in de Franse concessie. Het is een prettig hotel, maar hou alsjeblieft je broer in toom. Mevrouw Ives en de Hertogin zullen jullie gezelschap houden tot jullie aan boord van het schip gaan.'

'Ja, oom.'

'Jullie weten van het Edelhoogachtbare Gilde van Specialisten. Zul je me beloven dat je er met niemand over spreekt? Zo niet omwille van mij, dan toch zeker voor je ouders.'

Becca keek opzij. 'Kunt u me niet vertellen wat dat is, het gilde?'

'Nee, Rebecca, dat zal helaas niet gaan. Om eerlijk te zijn, ik vind jou en je broer niet betrouwbaar genoeg. Aha, ik geloof dat we er zijn.'

Het hoofdkwartier en de vuurwerkfabriek van de Sujing Quantou lag diep in de wijk Nantao, in het zuiden van de stad. In de blinde muur die de voorkant vormde, zat een dubbele roodgeverfde deur met traliewerk.

De kapitein liet de enorme bronzen klopper in de vorm van een ramskop met een dreun neerkomen op de deur. Na een tijdje ging de rechterdeur open. Ze werden begroet door een reus van een man, die gekleed was in een tot de hals dichtgeknoopte zwarte mantel. In zijn bonkigheid was hij meer Europees dan Chinees, in zijn levenloze, diepliggende ogen lag een afwezige blik.

'Kapitein Fitzroy MacKenzie van het onderzoeksschip Expedient. Ik zou graag gebruikmaken van de deskundigheid en ervaring van de eerbare orde van Sujing Quantou. Ik groet u en verzoek om een onderhoud met uw gewaardeerde leider, meester Aa. Mijn kaartje, meneer.'

Ze werden binnen genood met een knik. Toen de deur dichtviel, werden ze omgeven door duisternis. De deurwachter ontstak een olielamp die zo weinig licht gaf, dat het onmogelijk was om de afmeting van de ruimte in te schatten. Ze bevonden zich in een opslagruimte zonder licht van buiten, het was er als een kerker. Ze volgden de reus en liepen langs uitgestrekte stellages waarop dozen met vuurwerk stonden. Via een ruwhouten trap kwamen ze plotseling in de buitenlucht terecht en tot ieders verbazing bleken ze zich in een tamelijk voornaam gebouw te bevinden. Glazen deuren gaven toegang tot een balkon met marmeren pilaren die met bladgoud versierd waren. Het balkon omgaf een binnenplaats. De deurwachter maakte een buiging en gebaarde met een arm naar een rij stoelen die tegen een wand stond. Hij vertrok zonder een woord te zeggen.

'Het is alsof ik in de wachtkamer van de tandarts zit', zei Doug na een tijdje. Noch de kapitein, noch Becca reageerden daarop.

Er ging weer een minuut voorbij.

'Hij was niet erg spraakzaam, hè?' probeerde Doug. 'Misschien een zere keel?'

'Waarom doe je niet net als hij', gromde de kapitein, 'en hou je je mond.'

Doug stond op en liep naar het balkon. Door een aantal openstaande ramen aan de andere kant van de binnenplaats zag hij rijkgemeubileerde kamers met zijden wandtapijten aan de muren. Op een briesje dat geurde naar wierook kwam een gezoem en zacht gezang aanwaaien. Het geluid weerklonk tussen de pilaren, weerkaatste tegen de stenen wanden, zwol aan en stierf daarna weg. Een grote Sujing Quantou kwam de binnenplaats op en luidde de bel die in het midden stond. Er klonken vier diepe tonen op. Een andere geur – een aromatische damp uit een keuken – kringelde omhoog. Dougs maag rammelde.

Juist toen hij de kamer weer inliep om Becca te vertellen wat hij gezien had, ging een deur open. Er kwam een man binnen met een verbazingwekkend postuur, hij was nog groter dan de deurwachter. De vloer kraakte onder het gewicht van zijn trage, bedachtzame pas. Hij droeg een rijk met gouddraad versierde rode mantel en zijn blik was net zo afwezig als die van zijn collega's.

'Kapitein. Ik ben meester Aa van de Sujing Quantou. Welkom in mijn huis.'

'Goedendag, meneer. Dank dat u me op zo'n korte termijn wilde ontvangen.'

Meester Aa boog zijn hoofd en negeerde Doug en Becca. Hij leidde de kapitein met een handgebaar naar een andere kamer en sloot de deur achter zich.

'Ja, zo kunnen we natuurlijk niets horen', klaagde Becca. Ze liep naar de deur om te zien of er een sleutelgat in zat. Doug trapte tegen zijn stoelpoot, dodelijk verveeld. Na een paar minuten hoorde hij een gesmoord gegiechel, en het kwam zeker niet van Becca. Zijn zus stond met een oor tegen de deur geplakt en zag of hoorde verder niets. Het geluid leek vanuit de richting van een raampje te komen dat hoog in een wand zat. Het raampje was bedekt door een gaatjesscherm, maar even dacht hij een oog te zien, een oog dat hem aanstaarde.

Hij zag iets bewegen, duistere schaduwen. Hij stak zijn tong uit. De silhouetten verdwenen. Doug sprong op, trok zijn stoel naar de wand en zette hem onder het raampje neer. Hij klom op de stoel en wachtte af. Toen hij gefluister hoorde, sloeg hij met een vuist tegen het scherm. Er ontstond enig geschuifel.

DE VUURWERKFABRIEK VAN DE SUJING QUANTOU

De Sujing Quantou vuurwerkfabriek was de machtigste in heel China. De Sujing Quantou waren meesters in explosievenchemie en de uiterst lucratieve vuurwerk-handel vormde de financiële basis van hun mysterieuze orde. Hun plechtig ernstige houding stond lijnrecht tegenover hun opmerkelijk ontvlambare producten. Becca's beschrijving van dit versterkte gebouw is het enige dat rest: de fabriek brandde in 1932 af. De faam van de vuurwerkproducten was dusdanig groot dat de brand-weer weigerde het vuur te blussen.

Becca draaide zich om te zien wat haar broer uitspookte. 'Wat doe je? Kom van die stoel af!'

'Er was daar iemand', zei hij.

'Misschien omdat het hun huis is? En zij het volste recht hebben om daar te zijn? Jij trouwens niet. Kom van die stoel af en hou je kop. Ik probeer iets te horen.'

Hij trok de stoel met tegenzin terug en liet zich er als een zoutzak in neer zakken. Iets later hoorde hij een schrapend geluid, maar achter het scherm was niets te zien. Hij bleef waakzaam, zonder met zijn ogen te knipperen, klaar om op te springen als ze weer verschenen. Becca stond nog steeds bij de deur, maar hoorde weinig meer dan gedempte stemmen.

Plotseling gaf Doug een gil, omdat de zakdoek uit zijn borstzak naar het plafond vloog. 'Het spookt hier!'

'Onzin.' Vanaf de plek waar ze neerknielde zag Becca door een gat in het plafond een kleine hand die een nauwelijks zichtbare vislijn binnenhaalde. De zakdoek zat vast aan een haakje.

'Ik zie je!' riep Doug, die de hand ook zag. De zakdoek verdween door het gat en het luikje werd op z'n plek geschoven. 'Dat is mijn zakdoek!' Hij sprong op.

'Doug, ga alsjeblieft zitten. Waar ga je nu weer heen?'

'Ik ga mijn zakdoek terughalen. Bovendien wil ik even rondkijken', voegde hij eraan toe, en trok zijn sokken op. 'Jij hoort toch niets door die deur.'

'Nee Doug, niet weer', kreunde Becca. 'Vergeet die zakdoek.'

Maar haar broer liep al aan het einde van de gang. Becca keek hem na en verloor hem uit het oog toen hij de hoek omsloeg. Het was benauwd. Doug had het idee dat hij beloerd werd. Zijn hart begon sneller te kloppen en hij keek omhoog naar het plafond.

'Doug, waar ben je?' fluisterde Becca.

Doug hoorde het onmiskenbare Schotse accent van zijn oom. Het klonk vaag maar duidelijk, en leek vanachter een deur aan zijn rechterhand te komen.

'Doug!' siste Becca. 'Waar zit je? Oom kan elk moment uitgepraat zijn. We mogen niet rondsluipen hier.'

'Sst, hier.' Hij greep haar bij de arm en trok haar door een deur heen. 'Hou je stil.'

Ze kropen een kleine werkplaats binnen. Er viel vaal licht naar binnen door berookte ruiten en er stond een buitenissige verzameling oeroude en moderne apparatuur. Flessen van glas stonden naast aardewerken potten die duizend jaar oud leken. Een grote vijzelpot met stamper stond aan het uiteinde van een werkbank. Bamboebuizen verbonden kruiken met reageerbuizen en condensoren, alsof er een uitgebreid en zeer complex experiment gaande was, met als resultaat een borrelend zilverblauw gekleurd goedje dat afgrijselijk stonk. Door een deur die op een kier stond, was meester Aa zichtbaar, hij zat achter een monumentaal bureau. Hun oom was niet te zien.

'...wij vechten niet op het water, kapitein MacKenzie. Onze vaardigheden lenen zich niet voor gevechten op jonken en schepen.'

'Maar als u weet dat de piratenleider Sheng-Fat mogelijk uw zonnedochter in handen heeft? Luc Chambois, een wetenschapper en collega van professor Zorid...' de Sujing Quantou hield zijn adem in bij het horen van de laatste naam '...is ontvoerd door Sheng-Fat om torpedo's te bouwen met een substantie die zoridium genoemd wordt, dat verdacht veel lijkt op zonnnedochter.'

De handen van de kapitein werden zichtbaar toen hij de inhoud van de kist op het bureaublad legde. Doug keek op zijn kompas en glimlachte: de pijl wees naar het noorden.

Uit Dougs schetsboek: Meester Aa, gezien vanuit het laboratorium. (DMS 1/63)

'Ik heb deze torpedofragmenten van de bodem van de Zuid-Chinese Zee opgevist. Zoals u weet verplicht het Verdrag van Khotan, ondertekend door het gilde en uw orde, mij om u op de hoogte te brengen van alle incidenten die te maken hebben met zonnedochter.'

Meester Aa pakte een brokstuk op en liet het tussen zijn vingers rollen. 'Welke kleur had de rook na de ontploffing?'

'Blauw, meen ik.'

'Dat is zorgwekkend. Uw vrees is gegrond, kapitein. Andere bronnen hebben soortgelijke explosies gemeld.'

'Namens het gilde vraag ik u een verbond aan te gaan om deze dreiging te beteugelen.'

Meester Aa gaf niet direct antwoord. In plaats daarvan haalde hij een papier uit een la en bekeek de Chinese tekens. 'Ik heb onlangs nieuws ontvangen over het gilde, van onze broeders en zusters in Khotan', zei hij kalm. 'Er was een verbond gevormd met iemand van het gilde die uw naam droeg, kapitein. Het ging om een expeditie naar Sinkiang, maar ik weet niets over het doel en de uitkomst ervan.'

'Ja, mijn broer en schoonzuster.' De kapitein liet zijn stem zakken. 'We hebben het contact verloren. Heeft u nieuws?'

Becca en Doug keken elkaar met grote ogen aan en spitsten hun oren.

'Het is zeer onrustig in China momenteel. Met het westen is slechts… sporadisch contact.'

'Weet u helemaal niets?' hield de kapitein aan.

'Meer kan ik niet zeggen.' De leider van de Sujing bekeek de brandvlekken op een ander fragment van de torpedo. 'Eén ding is zeker, kapitein. Blauwe rook is uniek voor zonnedochter. Het mag niet in handen van Sheng-Fat blijven.'

SCHIP TEN ONDER DOOR 'AZUREN EXPLOSIE'

SLECHTS ÉÉN OPVARENDE GERED

SCHEEPSVERDRAG IN GEVAAR

De *Mandalay Maid*, een schip van 2000 ton dat met een lading rubber onderweg was van Singapore naar Macao, is gisteren gezonken, twintig mijl ten zuiden van Hong Kong. Kort daarvoor vond een mysterieuze 'blauwe explosie' plaats.

De enige overlevende beweert dat het schip geraakt is door een torpedo die afgevuurd werd vanaf een zwaarbewapende jonk. Twee dagen eerder werd een ander vrachtschip – de *Perseus* – op eenzelfde wijze tot zinken gebracht, tien mijl uit de kust van Macao. Dit roept bij scheepvaartmaatschappijen overal ter wereld de vraag op of er een nieuwe dreiging is in de Chinese wateren, en of het onlangs getekende scheepvaarthandelsverdrag in gevaar komt.

Artikel uit de *Shanghai Post* van 20 april 1920 (MA 632.43 ZORID)

'Het is een onverkwikkelijke zaak. De dreiging voor de bestaande wereldorde is zo groot, dat er onmiddellijk ingegrepen moet worden. Stemt u in met een samenwerking?'

'Zonder enige aarzeling. Ons geheime verbond is in tweehonderd jaar niet zo bedreigd geweest. De kracht van zonnedochter moet geheim blijven.'

'Ik wil deze zaak snel uit de wereld helpen. Ik zet binnen een maand koers naar India. Ik heb er dringende zaken.'

'Snel? Sheng-Fat is een geduchte tegenstander. Zijn groeiende invloed op de monopolies en zijn gangsterpraktijken in de Zuid-Chinese Zee brengen hem rijkdom. Zijn organisatie – de *tong* – is sterk gegroeid en hij staat bekend om zijn extreme geweld. Wat zet u daar tegenover aan materiaal en manschappen?'

'Een schip, ruimbewapend en volledig bemand. Ik denk dat we genoeg munitie hebben.'

Hoeveel man heeft u?'

'Twintig, mijzelf inbegrepen.'

'Twintig!' riep de Sujing vol ongeloof. 'God nog aan toe. Sheng-Fat heeft het eiland Wenzi in handen, kapitein. Heeft u het fort wel eens gezien?'

'Naar wat ik ervan weet is het een ruïne.'

'Een ruïne, ja, maar eeuwen geleden gebouwd om aanvallen te weerstaan. Het fort ligt in een nauwe riviermonding en is versterkt met verborgen geschutsposten. De enige vijanden die ooit door de muren gebroken zijn, zijn aardbevingen en de pest. Ik kan u elf Sujing Quantou-strijders leveren, met inbegrip van mijzelf. Elf plus uw twintig maakt eenendertig. We zijn in de minderheid. Eenendertig tegen driehonderd!'

'Hebben we een andere keuze?'

'Nee. We moeten hem aanvallen.'

'Ik stel een aanval in twee golven voor', zei de kapitein. 'Ik stoom de rivier op en klop op de voordeur, terwijl een tweede groep het fort binnenvalt via de ingestorte muren aan de achterzijde om het zonnedochter op te sporen en eventueel te vernietigen. Chambois heeft een kaart getekend van een netwerk van tunnels dat naar het torpedomagazijn leidt.'

'Klop op de voordeur!' Meester Aa lachte zo hard dat de vloer trilde. 'U spreekt over het poortgebouw, kapitein. Op het dak staat een gigantisch kanon. U en uw schip worden in de grond geboord!'

'Dat is mijn probleem. Als ik de riviermonding kan bereiken en Sheng-Fat af kan leiden, kunt u het fort dan binnenvallen?'

'Dat is mogelijk. Maar ik maak me zorgen over zijn tong.' Meester Aa trok een bureaula open en haalde er een zwaar, in leer gebonden boek uit. Hij bladerde er doorheen tot hij vond wat hij zocht. 'Eens even zien. Een informant meldde dat er zes maanden geleden vierhonderd Martini-Henry geweren verscheept zijn naar Sheng-Fat.'

'Antieke enkelschotswapens die stammen uit de tijd van de Zoeloe-oorlog', zei de kapitein.

'Vier honderd geweren en duizend patronen, kapitein. Dit is geen eenvoudig klusje.'

'Mijn schip zal de volle laag krijgen en opvangen. Kan de Sujing Quantou via de tunnels de torpedo's bereiken en het zonnedochter bemachtigen?'

'We zullen snel moeten zijn. Torpedokoppen ontmantelen is moeizaam werk. Tot ontploffing brengen is eenvoudiger. U heeft vast ook bedacht hoe we weer van het eiland af kunnen komen?'

'Natuurlijk.'

Meester Aa leunde achterover. 'Sheng-Fat. Een machtig piratenleider, zonder enige twijfel. Maar ik ruik onderhandsheid. Ik denk dat de kwaadaardigheid niet bij één laaggeplaatste piraat ligt. Sheng-Fat is niet meer dan de vuige aarde waaruit deze vergiftigde oogst van zogenoemd zoridium-wapentuig opgeschoten is. Stelt u zich de vraag eens wie het zaad gezaaid heeft.'

'Tja. Wat weet u over Sheng-Fat en zijn kornuiten? Zijn naam is niet Chinees.'

'Hij is half Chinees. Zijn moeder was een Dayak van Borneo. Hij gebruikt de parang en vijlt zijn tanden, zoals gebruikelijk is op Sarawak. Hij is de meest bloeddorstige piraat in de Zuid-Chinese Zee. Hij neemt mensen gevangen en maakt ze tot gijzelaar. De gestolen goederen worden doorgevoerd via legale bedrijven in Shanghai, Macao en Manilla.'

'En u denkt dat hij niet alleen werkt?'

Meester Aa schudde zijn hoofd. 'Sheng-Fat is niet veel meer dan een gemene schurk. Het fabriceren van torpedo's en het bijvijlen van tanden gaan in mijn optiek niet goed samen. Dat is niet zijn terrein. Ik ben er vrijwel zeker van dat hij niet alleen opereert.'

'U bevestigt mijn eigen vermoedens, meester Aa.'

'Wellicht zal een bezoek aan het eiland Wenzi ons duidelijkheid verschaffen.' De Sujing-leider sloot zijn ogen en begon te mompelen. Het was of hij in gebed verzonk. Zijn gezicht verstrakte en hij sprak in afgemeten, korte zinnen. In zijn stem klonk pijn door.

Meester Aa (uit het blote hoofd)

'De toekomst... ja... de toekomst. Plotseling niet duidelijk...
Er moeten keuzes gemaakt worden... De Ha-Min... het oeroude principe... Ur-Chan...' Hij hield abrupt zijn mond en
opende zijn ogen alsof iemand hem in zijn zij gestoken had.

Becca en Doug hoorden de kapitein heen en weer schuiven
in zijn stoel, terwijl meester Aa langzaam weer tot zichzelf
kwam.

'Ik ben blij dat de band tussen de Orde van Sujing Quantou
en het Edelhoogachtbare Gilde van Specialisten weer aange-
haald wordt.'

'Ik ben vereerd', antwoordde de kapitein met een hoofdknik. 'Ik ben van plan om de aanval in te zetten bij de eerste
volle maan. Mijn schip is afgemeerd naast een Duits tramp-
schip, aan de overkant van de Bund.'

Voor het raam klonk een zacht geschuifel tegen de stenen
muur. Meester Aa stond op en keek naar buiten. Hij greep de
arm beet van een jongen van een jaar of veertien die hurkte bij
de dorpel, en trok hem de kamer binnen.

'Ik heb het niet gedaan, meester!'

'Hoe bedoel je? Wát heb je niet gedaan? Je bespioneert me
en zoekt dan naar uitvluchten? Je broer en jij stellen me diep
teleur.'

'Nee, het was Xu, meester! Hij zei dat ik een slechte klim-
mer was, dat ik niet eens in een appelboom kon klimmen. Van
hem moest ik omhoog klimmen. Ik luisterde niet met...'

'Stilte!' brulde de Sujing. 'Nog zo'n streek, en je gaat niet
naar Khotan. Als je me nogs eens aanleiding geeft...'

'Ik wed dat hij mijn zakdoek heeft', fluisterde Doug tegen
Becca in het laboratorium.

'Ik wens u goedendag, meneer', zei de kapitein. 'Ook ik heb
familiezaken te regelen.'

De enige bekende foto van Sheng-Fat.

SHENG-FAT

De biografie van deze beruchte piraat is onduidelijk. Hij was een zeer brute piratenleider die zijn basis had op het eiland Wenzi in de Zuid-Chinese Zee. Twee bronnen uit de bibliotheek van Macao zeggen wat over hem. De eerste is een geheim rapport van een scheepvaartmaatschappij:

'Sheng-Fat: onze bronnen in Hong Kong melden dat hij de zoon is van een Chinese piraat; zijn moeder was een koppensnellende zee-Dayak. Zijn vader stierf toen hij zeven was tijdens een slag in de baai van Bias (er zijn berichten dat Sheng-Fat zijn stervende vader verzorgd heeft). Zijn moeder ging samenwonen met een Engelse leraar in Shantou. Op zijn zeventiende trok Sheng-Fat de zee op, samen met zijn broers (Chung-Fat en Li-Fat) om de dood van zijn vader te wreken.'

Uit een kopie van een poltierapport:

'NAAM: Sheng-Fat. LEEFTIJD: 45.

FYSIEKE BESCHRIJVING: bijgevijlde tanden; v-vormig littteken op de kin, net als bij de andere leden van Sheng-Fats tong (zie Tongs: Sheng-Fat).

ACHTERGROND: Vader Engels; moeder zee-Dayak. Zijn naam is afkomstig van moederskant (Borneo).

CRIMINELE ACTIVITEITEN: mogelijk legale zakelijke belangen in Shanghai en Manilla. Bestiert meerdere afpersersbendes in de Zuid-Chinese Zee. Verdacht van gijzelneming, afpersing en smokkelpraktijken. Staat bekend als gevaarlijk. Gevreesd door andere cirminele organisaties. [De foto van de landing in de baai van Bias is genomen door een agent met een verborgen camera. De agent verdween twee weken later.]

De jonge MacKenzies hoorden zijn stoelpoten over de houten vloer schrapen. Becca raakte in paniek: ze moesten snel terug naar hun plaats. Ze keek naar Doug, maar die was al aan het rennen. Ze schoten het laboratorium uit, sloegen de hoek om en zaten weer in hun stoelen toen de deur van meester Aa's kantoor openging.

De kapitein kwam naar buiten, hij zwaaide met zijn wandelstok als een tamboer-majoor. 'Goed. Rebecca en Douglas, zonder omwegen naar het hotel.'

HOOFDSTUK 9

Uit Dougs schetsboek: Het hotel van madame Zing Zing. (DMS 1/70)

Uit Becca's dagboek, 22 april 1920.
Het theehuis annex hotel van Madame Zing Zing.
Quai de France, Franse concessie, Shanghai.

*We kwamen precies tegelijk met mevrouw Ives, de Hertogin en onze
bagage aan bij het theehuis annex hotel van madame Zing Zing. Tot
mijn ontzetting ontdekte ik dat moeders correspondentiekistje in mijn
hut achtergebleven was. De kapitein beloofde me het na te sturen,
schudde ons de hand en zei dat hij het vervelend vond dat de dingen
zo gelopen waren. Na het gesprek dat we afgeluisterd hadden in de
vuurwerkfabriek had Doug een blik in zijn ogen alsof hem een enorme
som geld afhandig was gemaakt. Ik denk dat hij dacht 'had ik me de
afgelopen weken maar niet zo misdragen, dan zat ik nu nog op een
schip dat een piratenfort gaat bestormen!' De kapitein zou ons sowieso
niet meegenomen hebben, ook als de situatie anders had gelegen.*

We weten nu tenminste iets meer over vader en moeder: dat ze naar Sinkiang gingen met leden van de Sujing Quantou om ze te beschermen. Het is vreselijk frustrerend om weggestuurd te worden nu we ergens lijken te komen.

Madame Zing Zing

(DMS 1/71)

Het is net of het hotel van madame Zing Zing steen voor steen overgebracht is uit Parijs. Ik vind het hier niet leuk, het is hier eng. En madame Zing Zing bestaat ook nog echt! Ze is een keurig gecoiffeerde Franse dame die temidden van zeven poedels rondstruint en haar handjevol sjofel personeel bevelen geeft. De getrimde huisdieren keffen naar gasten en personeel en bijten iedereen die ze voor de poten loopt – op de Hertogin na natuurlijk, die zo luid brult dat ze alle zeven tegelijk achter de receptie wegkruipen.

De hoofdportier is een oudere Duitse man, genaamd Otto, die er nogal haveloos uitziet. Doug stond na een paar minuten al grapjes te maken met hem en te lachen. Hoe doet hij dat toch? Bij mij kan er net een stijf hallo vanaf.

Het pleisterwerk valt hier van het plafond, maar wat een uitzicht! Vanaf het balkon heb ik uitzicht op de rivier, helemaal tot aan de Bund. De waterweg krioelt van de schepen, jonken en sampans. In onze kamer ruikt het naar de rivier. De straat onder ons raam is boordevol mensen, ze lachen, praten en doen er hun zaken. Het is een levendige stad, het bevalt me hier wel.

Doug en ik hebben zojuist de baksteenkleurige schoorsteen van de Expedient de rivier af zien zakken. Doug gebruikte zijn verrekijker, maar ik zag zo ook voldoende. Nog maar een paar weken geleden vertrokken we zelf op het schip. Nu bleven we achter en ik voelde een vreemde en onverwachte knoop in mijn maag. Ondanks alles wat er op de Expedient gebeurd is, hebben we er toch ook vrienden gemaakt. Ze weg zien varen gaf me een gevoel van heimwee. Juist

DE KAMER VAN BECCA EN DOUG IN MADAME ZINGS HOTEL

Twee bladzijden uit het Missie Jericho Rood-dagboek van Becca (zie: aanhangsel 6). We zien een schets van hun kamer, naast die van mevrouw Ives.

23 April, 1920

A.M.

Ik verveel me heb de hele dag in Woesra hoogsten gelezen

P.s Heartclipp – wat een ellendeling

De hartspin slapend aan het voeteneinde van het bed van mevrouw Ives

Doug Stinet

toen we haar uit het zicht verloren, kwam er een morsebericht door via de seinlamp: HAAL GEEN ROTTIGHEID UIT, DOUGLAS. BON VOYAGE VOOR JULLIE BEIDEN. CH-CH-CHARLIE.

❖

Vroeg op de vierde ochtend in het hotel van madame Zing Zing vonden Doug en Becca een met de hand geschreven briefje dat onder hun deur was doorgeschoven. Becca's eerste reactie was schrik, daarna volgden nieuwsgierigheid, wantrouwen en verwarring over waar het briefje vandaan kwam.

De voorafgaande drie dagen waren vreselijk eentonig geweest. Becca had *Woeste hoogten* gelezen (twee keer) en Doug had bijna op het balkon gewoond met zijn nieuwe verrekijker, een afscheidscadeau van de bemanning. Na twee dagen kon hij uit het hoofd alle namen van de schepen aan de rede opnoemen, plus het land van registratie.

Het zat Becca dwars dat de kapitein ze verboden had om ritjes te maken door Shanghai, hoewel Doug een stadsgids had bemachtigd in de hotelbibliotheek. Het controleren van gebouwen die hij aan de overkant van de Bund zag met de vlekken op de uitgevouwen stadskaart hield hem slechts acht minuten bezig.

Zo sleepten de dagen zich voort, tot ze het mysterieuze briefje ontvingen. Becca stond op het balkon te staren naar het drukke ochtendverkeer, terwijl Doug een 'verkenningstocht' maakte, op haar aandringen. Mevrouw Ives zat veilig beneden in de salon van madame Zing Zing. Ze was eindelijk alleen, en las het briefje nog eens door:

Het zonnedochter van Sheng-Fat is afkomstig uit Sinkiang. Zijn broer, de afperser Chung-Fat, zal rond middernacht in de

Het uitzicht langs de Bund. (MA 449.16 SHANG)

kaartclub in het Huis der Loze Verstrooiing zijn, nabij het kruispunt Pon Lai en Voo Ming. Hij zal aan een tafel op de eerste verdieping zitten, naast een rode vogelkooi. Wellicht verschaft hij tegen betaling informatie over de missie van het Gilde naar Sinkiang.

Doug kwam het balkon opstormen. 'De portier zegt dat het een speelhol in het centrum van de oude Chinese stad is.'

'Je hebt hem niets over het briefje gezegd?'

'Denk je dat ik gek ben?'

'Ja.'

'Gaan we erheen, Becca?'

'Ik vertrouw het helemaal niet. Wie heeft dit geschreven? Maar als er een kans is om iets over vader en moeder te weten te komen vóór we op weg gaan naar tante Margaret hebben we geen keus.'

'Mooi, want ik heb al een manier gevonden om hier weg te komen.'

'Dat is verrassend. Hoe?'

'Nou, er is een deur die uitkomt op een balkon', zei hij en haalde twee haarspelden uit zijn kontzak.

'Het is niet waar', zei Becca met een flauw glimlachje.

❖

'Hier moet het zijn', zei Doug. Hij keek nog eens op zijn kaart. Vaandels van stof, beschreven met Chinese karakters, hingen aan de voorkant van het gebouw. Een stel goedgebouwde portiers bewaakten de ingang. 'Het is tien voor twaalf. We zijn vroeg.'

'Huis der Loze Verstrooiing', las Becca met een groeiend gevoel van beklemming. Ze stapte uit de riksja en betaalde de ritprijs.

Ze hadden zich vermomd als zeelieden. Nogal jonge zeelieden, maar Doug had er genoeg gezien langs de Bund die niet veel ouder waren dan zij. Ze hadden hun scheepsjassen aan, met de kraag omhoog en een muts diep over hun ogen getrokken. Ze dachten er wel mee weg te komen, in Shanghai werden weinig vragen gesteld.

Het geluid van jazzmuziek kwam uit de kaartclub, en zwol even aan toen een groepje dansende Russische matrozen door de deur naar buiten kwam. Een van hen hief een fles wodka ter begroeting van een witte Rolls Royce Silver Shadow die door een modderige plas reed en voor de deur tot stilstand kwam.

Doug en Becca keken toe hoe een man met een witlinnen pak en een panamahoed uit de auto stapte en na een knik tot de portiers het gebouw binnenging. De rand van zijn hoed ver-

DE CHINESE
WIJK,
SHANGHAI

Een ansichtkaart van Shanghai, aangetroffen in het archief van Rebecca MacKenzie. Er staat een tekst op de achterkant, gedateerd 21 april 1920: 'Beste Rebecca en Douglas, veel geluk bij al jullie ondernemingen. Jullie vriend, Luc Chambois.'

Uit Dougs schetsboek: De man met het witlinnen pak. (DMS 1/72)

borg zijn gezicht, maar hij was duidelijk een westerling en liep met een zwierige gang.

'Dat is hem', fluisterde Doug, terwijl hij Becca in de schaduwen trok.

'Wie? Chung-Fat?'

'Nee, de man die Chambois ontvoerd heeft. Linnen Pak! Het is een valstrik. Hij heeft het briefje gestuurd. Ik wíst dat het te eenvoudig was.'

'Wat bedoel je?'

'Chambois is ontvoerd door een man in een witlinnen pak, die reed in een Rolls Royce. Het moet hem zijn.'

'Maar Doug, dat kan toch iedereen geweest zijn? Bovendien, zou hij een Rolls Royce helemaal vanuit Parijs verschepen?'

'Misschien is dit een andere wagen.'

'Misschien is het een andere man, dat lijkt me waarschijnlijker.' Maar de twijfel had al toegeslagen. 'Nou ja, het is mogelijk... Maar wat zou hij met ons voorhebben?'

'Ik ga daar niet naar binnen om het uit te zoeken. Hij is dikke maatjes met Sheng-Fat.'

Een haveloze figuur kwam vanuit een steegje op hen af. Het was een dronken Russische matroos. Hij schoof langs Becca heen en schreeuwde naar zijn acht vrienden, die een eenpersoonsriksja wilden huren.

'Waar komt die matroos vandaan?' vroeg Becca.

'Er moet een achteringang zijn', zei Doug. Ze glipten de duistere steeg in. Die kwam uit op een rommelige binnenplaats, verlicht door een rij ramen aan de achterkant van de kaartclub. Een kruiwagen in een hoek verschafte ze een schuilplaats terwijl ze hun strijdplan opstelden.

'We moeten Linnen Pak goed in de gaten houden. Misschien komt hij hier ook voor Chung-Fat', peinsde Doug hardop.

De achterdeur ging open. Een sjofele gokker wierp een sigarettenpeuk in hun richting, hoestte een paar keer en keerde terug in het speelhol.

'Daar is die matroos uit gekomen. Er staat geen portier en de deur is niet op slot. We kunnen zo naar binnen lopen.'

'Naar binnen lopen?'

'Ja.' Doug haalde zijn neus op. 'En dan kijken waar Linnen Pak en Chung-Fat zitten. Ik zie een trap door dat raam heen. We sluipen naar boven en beginnen daar. Als we eenmaal binnen zijn, is het een makkie.'

'Maar het briefje dan? Uitvinden wat zich afspeelt in Sinkiang is veel belangrijker. Toch?' Becca voelde of de ketting van Chambois nog steeds in haar zak zat. Die zou als betaling voor de informatie dienen.

'Linnen Pak heeft het plan in de war gestuurd. Wie weet heeft hij vader en moeder ook ontvoerd. We moeten een beetje improviseren.'

'Ik kan het niet bijhouden, Doug. Je veronderstelt te veel. We weten niet of Linnen Pak de ontvoerder van Chambois is, en ook niet of hij de afzender van het briefje is.'

'Hier achter deze kruiwagen zullen we zeker geen antwoorden vinden.'

'Wat doen we als we gesnapt worden?'

'Doe alsof je dronken bent, net als die Russische matrozen en zet het dan op een lopen. Kom op.'

Uit Dougs schetsboek: In het Huis der Loze Verstrooiing. (DMS 1/79)

Het stonk er naar goedkope tabak en zweet, en er hing nog een andere vreemde geur, die Doug ooit in India had geroken: opium. Ze kwamen zonder moeilijkheden op de tweede verdieping terecht en openden de deur die toegang gaf tot de kaartclub. Die besloeg drie verdiepingen, met balkons op de eerste en tweede verdieping, van waaraf toeschouwers zicht hadden op de langwerpige speeltafel op de begane grond.

Becca en Doug bevonden zich op het chique tweede balkon dat bestemd was voor toeristen en vaste kaartspelers. Mandjes met inzetten en winsten gingen omhoog en omlaag langs koorden die tussen de verdiepingen gespannen waren. Het stond er blauw van de rook, die de kleuren van de wandtapijten hun glans ontnam. Niemand scheen het vreemd te vinden dat zij er waren. Een van de bedienden, een *tangu*, vroeg glimlachend of ze een tafel wensten.

Doug keek de tangu breed glimlachend aan. 'Is Chung-Fat vanavond aanwezig?' vroeg hij zo achteloos mogelijk.

De tangu boog. 'Chung-Fat arriveert om middernacht. Zijn lege tafel.' Hij gebaarde naar een tafel die één balkon lager stond, naast een rode vogelkooi. Precies zoals het in het briefje beschreven was.

'Wij nemen de tafel daar in de hoek, als dat kan', zei Doug. Hij liep naar een duistere hoek, van waaruit ze prima zicht hadden op de tafel van Chung-Fat.

'U kunt bij mij inzetten', zei de tangu. Hij plaatste een schaaltje gedroogde meloenpitten op tafel. 'Vervolgens geef ik de inzet door naar de speeltafel.'

Doug haalde zijn schouders op en liet zich onderuit zakken. 'We kijken het nog even aan, mijn vriend. Hoe verloopt het spel?'

De tangu overhandigde hem een vel papier vol cijfers en liep daarna naar een andere klant.

'Otto heeft me verteld hoe het in zijn werk gaat.' Doug boog zich enthousiast over naar Becca. 'Deze getallen tonen de voortgang van het spel tijdens de laatste vijftien slagen.'

'We zijn hier niet om te gokken, Doug', zei Becca stijfjes. 'We zijn hier voor informatie.'

'We mogen niet uit onze rol vallen.'

'We gaan niet gokken!'

Plotseling dook Linnen Pak op. Hij liep naar de tafel naast de vogelkooi. Zijn gezicht ging nog steeds verborgen onder de rand van zijn hoed. Hij ging zitten, ontstak zijn sigaar aan een kaarsvlam en maakte van het uitblazen van de vlam een heel spektakel. Hij riep een tangu bij zich en zette in. Zijn geld daalde in een mandje af naar de speeltafel.

'Hoe lang nog tot middernacht?' vroeg Doug.

'Vijf minuten.'

Doug keek ingespannen naar het kaartspel. Linnen Pak won voortdurend, zijn mandje steeg na elke inzet op met een groeiend winstbedrag. Het was bijna één uur in de ochtend. Linnen Pak trommelde onrustig met zijn vingers op de reling van de balustrade en keek aldoor op zijn horloge en naar de deur. Het leek erop dat Chung-Fat niet zou komen opdagen.

'Ik heb een idee', zei Becca. Ze scheurde een pagina uit haar dagboek. 'Als we geen informatie gaan krijgen van die afperser, kunnen we in ieder geval onze nieuwsgierigheid bevredigen. Vanwege Chambois.'

'Wat ga je doen?'

'Linnen Pak een briefje sturen. Een briefje dat alleen betekenis heeft voor de

MUNTEENHEDEN IN SHANGHAI

Er waren twee munteenheden in Shanghai: de (favoriete) zilveren Mexicaanse dollar, met een gewicht van circa 1 ounce (28,349 gram); de taël, met een zilvergewicht van circa 1,3 ounce, meestal in de vorm van bankbiljetten.

ontvoerder van Chambois. Als hij reageert, weten we dat hij het is. Roep de tangu eens. Ik laat het zakken in het mandje. Hoeveel geld heb je bij je?'

'Ik heb taëls gewisseld voor Mexicaanse dollars bij Otto, voor een noodgeval.'

De tangu kwam bij hun tafel staan en Doug vroeg hem het briefje te bezorgen. Hij gaf hem een flinke fooi. Becca schreef CHAMBOIS LEEFT in koeienletters op het briefje. 'Nu gaat er vast iets gebeuren.'

De tangu boog en liep naar de andere zijde van het balkon, waar hij het mandje liet zakken.

Het duurde een paar seconden voor Linnen Pak toehapte, maar hij greep het aas toen het mandje voor hem bungelde. Hij las het briefje en keek onmiddellijk omhoog. Ze konden hem duidelijk zien. Hij was midden veertig en droeg een vlinderdas en een vest van groene zijde. Hij had een woeste blik in zijn ogen, die groot werden toen hij het briefje nog eens las. Hij mompelde iets en verfrommelde het briefje tot zijn knokkels wit werden. Hij sloeg twee keer met zijn vuist op de balustrade en draaide zich bruusk om, alsof hij wilde zien of iemand op hem lette. Hij riep zijn tangu bij zich.

'Beet', fluisterde Becca triomfantelijk. Ze trok Doug achteruit, de schaduwen in. De bediende van Linnen Pak riep iets naar de tangu van Doug en Becca, die naar de MacKenzies wees.

'Rennen!' riep Becca. Ze duwde Doug in de richting van de deur voor hun tangu ze de pas af kon snijden. Toen ze op de nauwe overloop stonden, hoorden ze mensen de trap afstormen. Wat er ook gebeurde, de MacKenzies maakten gebruik van dit afleidingsmanoeuvre en renden een smalle trap op. In de verte klonk 'Hou ze tegen!', maar het geluid leek weg te sterven. Niemand kwam achter ze aan.

'We zijn ze kwijt', hijgde Doug.

'Hoe kan dat?'

'Geen idee.'

Doug liep verder. Ze bevonden zich helemaal bovenin het speelhol, aan het einde van een slechtverlichte gang. Ze kwamen langs een aantal kantoorruimtes, tot ze tegen een deur aanliepen die uitkwam op een gammel balkon. Onder hen lag de binnenplaats.

'Kom. Misschien gaan ze de kantoren in.'

Becca volgde Doug naar buiten. Eenmaal in de frisse buitenlucht, sloot ze zo voorzichtig mogelijk de deur. Van achtervolgers geen spoor, maar plotseling kwamen Linnen Pak en de twee tangu's de binnenplaats op. Ze zaten achter twee kleine gestaltes aan.

'Ze hebben zich vergist, ze denken dat wij dat zijn', mompelde Doug. 'Ze zijn al in de steeg, Linnen Pak krijgt ze nooit te pakken.'

De gestaltes ontkwamen, ze renden verbazingwekkend snel. Linnen Pak en de beide tangu's gaven het op en keerden terug naar de deur. Linnen Pak schopte kwaad tegen een lege fles.

'Denk je dat Linnen Pak ons het briefje heeft gestuurd om hier te komen?' vroeg Doug

'Nee', zei Becca. 'Hij kent deze plek als zijn broekzak. De tangu's zouden hem ons direct gewezen hebben als we hier verwacht werden. De afzender van dat briefje blijft een raadsel. En ik denk dat ons nieuws over Chambois als een schok kwam.'

'Laten we hier blijven tot de boel wat tot rust gekomen is. Het is veel te gevaarlijk om Chung-Fat te gaan zoeken zo lang Linnen Pak hier is. We gaan terug naar het hotel als de rust weergekeerd is.'

Na een uur dat eeuwig leek te duren, hoorden ze iets in het kantoor aan de andere kant van de muur.

Becca bevroor, in de verwachting dat iemand het balkon op zou komen, maar er ging geen licht aan in het kantoor.

Er verstreken enkele spannende minuten, en toen zei Doug: 'Misschien was het die uitgehongerde kat.' Het dier had blazend een hoge rug tegen ze opgezet toen ze op het balkon kropen. 'We gaan terug naar madame Zing Zing.'

Ze slopen het speelhol weer in en gingen de trap af. Ze waren zenuwachtig omdat ze Linnen Pak en de tangu's elk moment tegen het lijf konden lopen. Doug had zich nooit eerder zo angstig gevoeld tijdens een 'nachtelijk uitstapje'. Toen ze op de begane grond aankwamen, verstijfde hij. De vluchtroute werd versperd door een dronken gokker die voor de uitgang lag. Becca nam het heft in handen. Ze sleepte de dronken man bij de uitgang vandaan.

'Langzaam lopen en niet omkijken', sommeerde ze. Ze slopen de binnenplaats op. Toen ze in de steeg waren, begonnen ze te rennen. Ze kwamen uit in de straat en keken om zich heen. Alles leek in orde in de Voo Ming-straat. De Rolls Royce stond nog steeds voor de ingang. Het leek erop dat ze het gehaald hadden.

'Laten we een riksja aanhouden en 'm smeren', zei Doug.

Ze kropen een portiek in die uitzicht gaf op de kaartclub en wachtten af. Becca doorbrak de stilte.

'Ik kan niet geloven dat we Chung-Fat misgelopen zijn. Dit was onze laatste kans om te ontdekken wat er met vader en moeder gebeurd is voor we Shanghai verlaten. Als dat zonnedochter werkelijk uit Sinkiang komt, kan dat geen toeval zijn. Het moet iets te maken hebben met hun verdwijning. Linnen Pak heeft Chambois ontvoerd om hem torpedo's te laten bouwen waar zoridium in zit. We weten dat Chambois vader en moeder kende. Misschien heeft Linnen Pak hen ook ontvoerd.'

'Nu loop je te hard van stapel, Becca. De expeditieleden duiken misschien nog op. We hebben geen bewijs dat ze ontvoerd zijn.'

'Waarom maakt niemand zich druk om vader en moeder? Je hebt gehoord wat de kapitein zei. Hij gaat naar India als de bestorming van Wenzi voorbij is. Hij is niet plan om ze te gaan zoeken. En wij worden naar San Fransisco gestuurd! Terwijl we hier moeten zijn. In China. Hier liggen de antwoorden. Je zag hoe Linnen Pak reageerde op mijn bericht. Hij weet iets. We moeten uitvinden wát, en ons niet naar die sullige tante Margaret laten sturen.'

Doug haalde zijn neus op en keek zijn zus bedenkelijk aan.

'We staan er alleen voor, Doug. Er is niemand anders. We moeten dit oplossen. Ik ga niet naar tante Margaret voor ik iets ontdekt heb. Als ik het weet, zal ik haar bazige gedrag graag ondergaan. Maar tot die tijd wil ik niet terug. Ik ga niet op die oceaanstomer zitten. Begrijp je wat ik zeg?'

Doug twijfelde. Normaal gesproken was zijn zus de verstandigste. Wat ze nu voorstelde was verre van verstandig. In feite was het eerder gevaarlijk.

'Waarom blijven we niet hier en volgen we de Rolls van Linnen Pak? Eens zien waar hij heengaat.'

'Weet je Becca, je bent door mij besmet. Het is een bespottelijk plan.'

Op dat moment startte de chauffeur de Rolls Royce. De MacKenzies waren zo druk in gesprek geweest dat ze het vertrek van Linnen Pak gemist hadden.

'Wat vind je, Doug?'

'Ik weet het niet, Becca.'

'Ik ga achter die Rolls aan. Ga je mee?'

De wagen kwam langzaam langsrijden. Linnen Pak zat op
de achterbank aan zijn vlinderdas te frunniken. Hij was nog
steeds razend. Doug stapte uit de portiek vandaan, haalde diep
adem en hield een passerende riksja aan.

'Kunnen we er allebei in?'

De riksjarijder deed zijn best om de Rolls Royce bij te houden,
maar het was een ongelijke strijd. Afgaande op de stadsgids,
reed de wagen in de richting van de Huangpou. Ze draaiden de
straat langs de rivier op en zagen tot
hun opluchting de wagen, hij reed in
zuidelijke richting. Maar hun riksjarijder hijgde en liep op een sukkel-
drafje.

Hun volharding werd beloond:
juist toen ze de Rolls uit het oog
dreigden te verliezen, parkeerde hij
bij een aanlegsteiger. Ze zagen Linnen Pak met een koffer in zijn hand
via een loopplank een jonk betreden. De chauffeur draaide de wagen
en reed op hoge snelheid weg.

RIKSJA'S

*(Van het Japanse jinrikisha,
'voertuig aangedreven door een
man'.)*

*Deze in Azië algemeen voor-
komende passagiersvoertuigen
kunnen net als taxi's gehuurd
worden. Ze zijn rond 1870 door
een Engelse missionaris in
Japan uitgevonden.*

'Wat er ook gebeurt, we moeten
bij Linnen Pak in de buurt blijven',
zei Becca.

'Dat betekent dat we aan boord
van de jonk moeten.'

'Precies.'

'China is het moederland der schepen'
Uit: Romantische Scheepvaart *door Jean de la Varende.*

JONKEN EN SAMPANS

In de traditionele Chinese scheepvaart zijn twee scheepstypen te onderscheiden, beide vrachtvaartuigen:

JONK: met twee of drie masten, kan eenvoudig tot oorlogsschip omgetoverd worden door geschut op het dek en stalen platen langs de romp te plaatsen. Superieure zeilboten, ondanks het ontbreken van een kiel. In grootte variërend van rivierjonken tot enorme zeewaardige schepen.

SAMPAN: kleiner vaartuig dat voortbewogen wordt met riemen (yuloh), en die voor langere riviertochten of korte tochten op zee één zeil konden voeren.

Ze keken naar het armzalige vaartuig. Een bok was bezig het te laden met vaten brandstof.

'Heb je een voorstel?'

'We kunnen naar de andere kant zwemmen.'

'In die rivier? Die stinkt, Doug.'

'Hoeveel geld heb je? Genoeg om een sampan te huren?'

'Ik denk het wel.' Becca begon in haar jaszakken te graaien.

'Daar liggen een paar sampans. Misschien wil een ervan ons naar de jonk brengen. Het is donker aan de rivierkant van het schip. Het is de beste kans om ongezien op de jonk te komen.'

Ze kozen een oude man wiens gezicht verkreukeld was als een blad in de herfst. Hij was de eigenaar van een heel kleine, armetierige sampan waarvan Doug dacht dat die het best paste bij hun magere budget. Becca legde uit dat ze zo onopvallend mogelijk langszij de jonk wilden komen. De schipper was onder de indruk van het geldbedrag dat ze hem boden voor zo'n korte overtocht en gebaarde ze aan boord.

De sampan kwam met twee halen van de riem in de stroming terecht en al snel lagen ze naast de jonk. De bemanning was bezig de vracht in het ruim op het middenschip te laden. Becca en Doug kwamen ongezien en verbazingwekkend makkelijk aan boord.

Ze slopen langs het dolboord naar het vooronder. Daar lieten ze zich door een openstaand luik zakken. In het duister, met bonzend hart, keken ze naar Linnen Pak, die druk in gesprek was met de Chinese schipper.

'Excuses', zei de schipper. 'De vracht is te laat aangekomen. Te laat om nog naar de club te komen. Ik ben heel boos.'

'Jij verkiest gokken boven het innemen van brandstof op mijn schip, hè Chung-Fat?' vroeg Linnen Pak met een kordaat Engels accent.

De schipper lachte en sloeg Linnen Pak op zijn schouder. 'Heb jij geluk gehad, vriend?'

'Ja en nee. Ik ben een stel… Laat maar.'

Linnen Pak schudde Chung-Fat de hand en verdween naar beneden langs een smalle trap achter het roer. De schipper deelde enkele bevelen uit en stapte toen opzij voor een lading brandstofvaten die aan boord zwaaide.

'Dat is Chung-Fat!' fluisterde Becca opgewonden. 'We moeten bij hem in de buurt blijven.'

Ze wilden snel van het dek weg en lieten zich door een luik in het voorste laadruim zakken. Het was er donker en het stonk. Plotseling klonken er voetstappen op het dek. Het luik werd dichtgesmeten. Doug klom snel de ladder op, maar toen hij de bovenste sport bereikt had, hoorde hij dat het luik vergrendeld werd.

Ze zaten opgesloten.

Hoofdstuk 10

Doug ving door de kieren tussen de dekplanken een gesprek op. Het was ochtend en de jonk lag al tien minuten voor anker.

'Zeg tegen Sheng-Fat dat hij zijn geld krijgt als ik terugkom uit Macao.' Het was de Engelsman, Linnen Pak. De nachtrust had hem arroganter gemaakt. 'Hij mag Liberty nu doden. Haar rol is uitgespeeld. Het bericht over de volgende torpedoaanval zal alle scheepvaartmaatschappijen die operen op Chinese wateren de stuipen op het lijf jagen. Met de achterstand in vrachtverscheping na het verdrag zullen we stinkend rijk worden.'

'Ik zal het hem zeggen', zei de schipper.

'Veel succes, Chung, en bedankt voor de lift.'

Er botste iets tegen de jonk, zo te horen een sampan.

'Hij roeit weg', zei Doug. Hij hoorde een roeispaan op het water slaan.

Becca onderdrukte een gil toen ze iets over haar hand voelde kruipen. De MacKenzies hadden een slapeloze nacht doorgebracht op een vermolmde theekist. Er stond een centimeter of vijftien stinkend water in het ruim, hun schoenen waren dus doorweekt. En alsof dat niet erg genoeg was: ze waren niet alleen. Er zaten ratten, heel veel ratten. Ze trippelden of zwommen langs, en zo nu en dan stuitten ze luid piepend op de schoenen van Becca en Doug.

Plotseling ging het laadluik open. Stralend ochtendlicht stroomde het ruim binnen en verblindde ze een paar seconden.

'Aan dek! Aan dek!' riep een gestalte. 'Omhoog!'

Sterke handen grepen Doug bij zijn jas en trokken hem uit het ruim alsof hij een zak aardappelen was. Becca werd ook omhoog getrokken. Ze werden ruw voortgeduwd over het dek.

Het geluid van een krachtige motor doorbrak de stilte. Het lawaai zwol aan, tot het de sterkte had van het gebrul van duizend in het nauw gebrachte leeuwen. Het was een klein watervliegtuig dat zo laag vloog dat het op een haartje de mast van de jonk miste.

'Linnen Pak!' schreeuwde Doug, die de piloot in het oog kreeg. Dikke waterdruppels van de drijvers daalden neer op het dek. Doug volgde met zijn blik het kielzogspoor en kwam uit bij een aanlegsteiger. Daar had het vliegtuig aangemeerd gelegen. Hij zag dat ze voor anker lagen in een baai bij een riviermonding. 's Nachts hadden ze op z'n hoogst vijf uur gevaren.

Doug schermde met een hand zijn ogen af voor het stralende zonlicht en zag dat het vleigtuig een bocht maakte. Het was een prachtige tweedekker: de romp was rood en een zwarte draak strekte zich over de hele lengte ervan uit. Het diepe brommen van de motor stierf weg in de verte. Als slotact voerde Linnen Pak een kurkentrekker uit en verdween toen in de wolken.

Elke twijfel dat ze zich op een piratenschip bevonden verdween toen Doug een V-vormig litteken op de kin van alle bemanningsleden zag. De MacKenzies werden verder geduwd tot ze pal voor Chung-Fat stonden, die languit op een sierlijke dekstoel lag. Hij was gekleed in wijde, donkere kleren en een zonnehoed lag pontificaal op zijn dikke buik. Hij staarde ze aan met een schamper glimlachje. Zijn kille blik kon een lavastroom doen stollen.

'Zijn de passagiersverblijven jullie bevallen?'

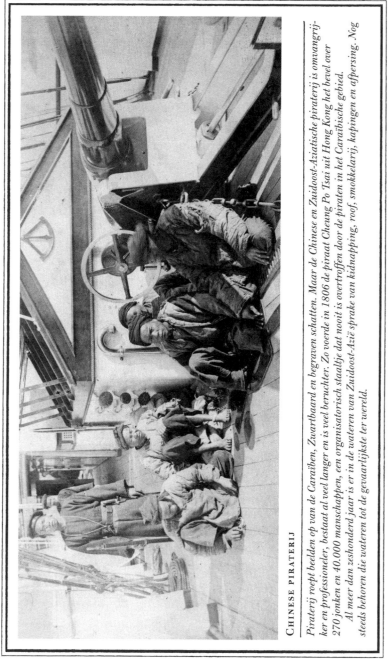

CHINESE PIRATERIJ

Piraterij roept beelden op van de Caraïben, Zwartbaard en begraven schatten. Maar de Chinese en Zuidoost-Aziatische piraterij is omvangrijker en professioneler, bestaat al veel langer en is veel beruchter. Zo voerde in 1806 de piraat Cheung Po Tsai uit Hong Kong het bevel over 270 jonken en 40.000 manschappen, een organisatorisch staaltje dat nooit is overtroffen door de piraten in het Caraïbische gebied.

Al meer dan zeshonderd jaar is er in de wateren van Zuidoost-Azië sprake van kidnapping, roof, smokkelarij, kapingen en afpersing. Nog steeds behoren die wateren tot de gevaarlijkste ter wereld.

Foto © National Maritime Museum, London

Becca wilde iets zeggen, maar ze had een droge mond.
'Jullie beloonden de sampanschipper vorstelijk.'
'Hoe weet u dat?' vroeg Doug.
'Hij werkt voor mij. Jullie maakten een verkeerde keus. Een heel slechte keus.' Chung-Fat gaapte. 'Ik vraag me af waarom jullie je op mijn jonk verstoppen en een hele nacht in dat doornatte ruim gaan zitten? Hebben we meer bemanningsleden nodig?' En tot zijn bootsman: 'Moeten er meer hens aan dek?'

De bootsman zweeg, leunend tegen een fokkenval. Becca en Doug stonden doodsangsten uit. Zo penibel was hun situatie nog nooit geweest. Dit was geen schoolmeester en ook geen vrijgezelle tante. Dit was de broer van een beruchte piraat.

'We zijn op de verkeerde jonk gestapt', zei Doug. 'Wellicht kunt u ons terugbrengen naar Shanghai? We zullen u goed betalen, voor de overtocht en het ongemak. Wilt u onze verontschuldigingen aanvaarden?'

Chung-Fat lachte lang en hol. 'Ach, vergeef me, ik zet onmiddellijk koers naar Shanghai. Willen jullie misschien in mijn dekstoel zitten? Lekker zonnebaden tijdens de terugtocht?' Een gil vanaf het voordek onderbrak hem. Een jongen van een jaar of veertien was tevoorschijn gekomen uit een luik, en hij werd achtervolgd door een piraat die zwaaide met een korvijnnagel. Doug herkende hem direct. Het was de jongen uit de vuurwerkfabriek van de Sujing Quantou. Hij greep een bezem om zich te ver-

Chung-Fat

Doug merkte op dat het moeilijk was het karakter van deze vileine piraat te vangen.   (DMS 1/81)

dedigen en ontweek de aanval van de kok met verbazingwekkende snelheid.

'Ik ben Xi, van de eeuwenoude en eerbare Orde van de Sujing Quantou', hoonde de jongen. Chung-Fat fronste boos zijn wenkbrauwen. Xi maakte een radslag met behulp van de bezemsteel en raakte de kok met een paar razendsnelle stoten, waardoor die zijn korvijnnagel liet vallen. 'Jij bent niets meer dan een onwelriekende piraat!' Hij sprong op het dolboord, wipte met de borstel de hoed van het hoofd van de kok, draaide de bezem om en porde hem met de steel in zijn buik. Het zag er heel gemakkelijk uit, maar Doug zag aan zijn gespannen spieren en felle blik dat het de jongen een flinke inspanning kostte.

'Kom hier, jij kleine…'

Maar Xi was te snel. Hij sprong in de fokkenval en zwierde opzij. De kok liep met logge tred op hem af, wat Xi de tijd gaf om spottend het dek te gaan vegen, terwijl hij een vrolijk deuntje floot.

'Ben je daar eindelijk? Ik was juist bezig de vuiligheid van deze schuit op te vegen, ik had de tijd.'

De bootsman was van de andere kant aan komen sluipen, maar Xi sprong weg en sloeg de kok tegen het dek. De bootsman trok zijn parang en begon ermee te zwaaien.

'Kijk uit!' riep Doug. Hij had zijn vuisten gebald. Doug kon aan Xi's vaardigheid met de bezemsteel zien dat hij goed getraind was. Gewapend met een zwaard zou hij levensgevaarlijk zijn.

Aan beide zijden van het schip begon de bemanning het dek op te komen, bewapend met geweren. Ze zwegen dreigend, in afwachting van het bevel van hun leider. Maar Chung-Fat leek niet erg onder de indruk te zijn van deze onverwachte gebeurtenis. Hij leek er juist wel van te genieten. Er bevonden zich ongeveer twintig bemanningsleden op het dek, mannen en vrouwen. Xi had ze gezien, maar vocht gewoon door, onbevreesd voor het aantal tegenstanders dat zou kunnen volgen na de kok en de bootsman. Denkt hij werkelijk dat hij ze aankan, één voor één? vroeg Doug zich af. Zo vocht hij wel.

De bootsman viel rennend aan, maar met drie snelle stoten en een hoge schop, deed Xi hem in een spuigat belanden. 'Dacht je mij te kunnen pakken, piraat? Ha! Ik stam af van de Sujing Quantou, ik ben een uitverkorene, en al in opleiding vanaf mijn eerste – tweede – derde – vierde.' Tijdens het tellen sloeg hij de kok op alle vier zijn ledematen en wreef hem daarna met de borstel in het gezicht. 'En jij, kokkie, ga jij je vechttechnieken maar oefenen in de kombuis, met het fijnhakken van groenten.'

Uit Dougs schetsboek: Xi in gevecht met de kok. (DMS 1/82)

'Ik ga jou fijnhakken en aan de vissen voeren!' schreeuwde de kok razend.

Xi klom razendsnel in een touw, maakte een salto en belandde achter de kok weer op het dek. De kok haalde een paar keer uit, maar Xi weerde de aanvallen met uiterste precisie af.

'Ik vecht niet graag tegen gespuis uit de achterbuurten van Shanghai zoals jij, wiens vettige, ongetrainde handen op trossen overrijpe bananen lijken', zei hij spottend. Hij pakte een schoongemaakte vis uit een emmer.

'En jij bent een opgeschoten schooljochie.'

'Jij bent een opgeschoten kok, die veel te veel uit zijn eigen potten snoept!' riep Xi. De kok viel weer aan, maar Xi sprong met de bezemsteel als polsstok over hem heen en slaagde erin onderweg de vis op zijn hoofd achter te laten.

Doug onderdrukje een lach.

'Je nieuwe hoed staat je goed, mijn vriend', jende Xi. Maar hij overspeelde zijn hand. Hij leunde op de bezemsteel en gleed uit over visingewanden. Met een bons sloeg hij met zijn rug tegen het dek. Chung-Fat barstte vanuit zijn dekstoel in lachen uit. De bootsman rende op Xi af, greep hem vast en trok hem overeind. De op wraak beluste kok trok de vis van zijn hoofd en pakte de korvijnnagel op.

'Nee!' riep Becca.

Ze had het nog niet geroepen of Chung-Fat klapte in zijn handen. 'Genoeg! Terug naar de kombuis. Ik wil ontbijten.'

De kok staarde Xi een paar seconden aan en trok zich toen terug, visingewanden van zijn hoofd vegend.

'Nog een verstekeling! Deze is gevaarlijker dan de anderen, lijkt mij. Hij vecht als een tijger. Een Sujing Quantou nog wel.

Mijn broer is vast tevreden met deze kleine maar kostbare lading', meesmuilde Chung-Fat. 'Laat me jullie linkerhanden zien, vingers gestrekt.'

Becca en Doug staken hun handen uit. Chung-Fat kneep zijn ogen tot spleetjes. 'Ja', mompelde hij. 'Ze zijn klein, maar niet té klein. Uitstekend. Mijn broer wil vast graag kennis-maken met jullie.'

'Wat doen we met ze?' vroeg de bootsman.

'Haal die Sujing bij de andere twee vandaan. Hij kan moei-lijkheden veroorzaken. Zet hem in het ruim op het achter-schip, uit de buurt van de brandstof. En wat deze twee betreft...' Hij keek Becca en Doug vuil aan. 'Breng ze terug naar hun hut.' Hij grinnikte. 'Drie gijzelaars als ontbijt. En ik heb er niet eens mijn dekstoel voor uit hoeven komen.'

Doug keek Becca aan, hopend op een geruststellende blik, maar hij zag alleen zijn eigen doodsangst weerspiegeld.

HOOFDSTUK 11

Op de ochtend van de vierde dag ging het luik open. Xi kwam naar beneden geklauterd, geholpen door een slag op zijn schouder met een geweerkolf. Ze hadden hem sinds het gevecht met de kok niet gezien. Hij was vermagerd en bleek, maar niet uit het veld geslagen.

'Jullie leveren meer problemen dan voordelen op', zei hij, zonder ze te groeten. 'Als jullie me gesteund hadden, waren we nu heer en meester op het schip, of waren we naar de oever gezwommen. We hadden nu in Shanghai kunnen zijn. Maar jullie stonden erbij als zoutzakken. Waarom hebben jullie me niet geholpen?'

Becca begon te gloeien van kwaadheid. 'Er zijn twintig bemanningsleden en wij zijn met z'n drieën. En zij zijn gewapend. We hadden geen schijn van kans. Als jij er niet zo'n show van gemaakt had, hadden we Shung-Fat misschien kunnen omkopen, zodat hij ons had laten gaan. Wat doe jij hier trouwens?'

'Jullie beschermen!' Hij lachte gemaakt. 'Wat een grap, niet?'

'Ons beschermen?' vroeg Doug. 'Dat kan niet waar zijn.'

Xi haalde Dougs zakdoek tevoorschijn en wierp die naar hem toe. 'Veeg daarmee het luie zweet maar van je voorhoofd. We zitten met z'n drieën in de puree.'

'We hebben geen bescherming nodig', zei Becca.

'Kijk eens om je heen', zei Xi. 'Toen jullie oom de vuurwerkfabrief verliet, zijn we jullie gevolgd naar het hotel van madame Zing Zing. Meester Aa gaf ons opdracht jullie in de gaten te houden. Hij was onzeker over de bedoelingen van de kapitein, er is namelijk onmin binnen het gilde. Nadat onze Sujing Quantou-broeders Shanghai verlaten hadden op het schip van jullie oom, namen Xu en ik het heft in eigen handen. Van wie kwam dat briefje, denken jullie?'

'Heb jij dat geschreven? Waarom?'

'Het was een test. Xu en ik dachten dat jullie ouders Sheng-Fat het zonnedochter geleverd hadden. Als Chung-Fat jullie als vriend zou behandelen, wisten we dat jullie ons vijandig gezind waren. Chung kwam niet opdagen, door die vertraging bij het innemen van de lading brandstof, maar de man in het witlinnen pak wel, en...'

'Het witlinnen pak?'

'Ja, die. We weten dat hij samenwerkt met Sheng-Fat. Meester Aa heeft het jullie oom niet verteld, maar de Sujing Quantou houdt hem al maanden in de gaten. Toen jullie hem dat briefje lieten bezorgen in het mandje...'

'Heb je dat gezien?'

'Natuurlijk. Mijn broer en ik zaten aan een tafeltje bij de deur. Toen we zagen hoe hij reageerde, wisten we dat jullie aan onze kant stonden.'

'Dus jullie renden de trap af', zei Doug. 'Jullie hebben ze afgeleid.'

'Het waren allemaal oude mannetjes. Ze hadden ons nooit kunnen grijpen. Later slopen we de binnenplaats weer op en zagen jullie op het balkon zitten. Tussen twee haakjes: dat speelhol is van Sheng-Fat. We gingen naar binnen en hebben wat rondgeneusd in de kantoren. We zagen jullie wegsluipen en een riksja huren. We zijn jullie gevolgd naar Chung-Fats jonk.'

'En gingen aan boord', besloot Doug het relaas.

'Ik sta onder bevel van meester Aa. Ik volgde jullie aan boord. Honger?'

Doug stond versteld. Ze hadden nooit doorgehad dat ze in de gaten werden gehouden.

'Hier.' Xi wierp ze elk een verse tomaat toe.

'Waar heb je deze vandaan?' vroeg Doug. De eerste hap was een sensatie: de smaak explodeerde in zijn mond. Nooit eerder had hij zoiets heerlijks gegeten. De afgelopen dagen hadden ze geleefd op waterige soep en de gedroogde meloenpitten die Doug in het speelhol in zijn zak gestoken had.

Xi glimlachte en haalde een sinaasappel onder zijn overkleed vandaan. 'Een Sujing Quantou-strijder verraadt zijn geheimen nimmer. Dat is onze eerste les.'

'Heb je ook water?' vroeg Becca.

'Natuurlijk.' Hij trok een fles koel water uit zijn overkleed. 'Kleine slokjes, drink het niet in één keer op', zei hij vriendelijk.

Becca nam een paar slokken en gaf de fles door aan Doug.

'Kijk, dit vond ik in een van de kantoortjes.' Xi gaf Becca een briefje. Ze hield het in een lichtstraal die door een kier in het luik piepte. Ze las:

'Oké, Chung-Fat, gladde ratelslang die je bent, zo gaan we het doen: ik zal onze kant overhalen het verdrag te tekenen, maar als mijn dochter Liberty niet levend terugkomt, zal ik je tot het einde van de wereld achtervolgen en hoogstpersoonlijk je godvergeten graf graven. T da V.'

Becca bevingerde de ketting die in haar jaszak zat. 'Dus T da V is Liberty's vader', zei ze. 'Theodore da Vine.'

Het schip verlegde zijn koers. Doug voelde de deining afnemen. Een halfuur later verraadde een trilling die door de houten boeg trok dat ze in een haven aangekomen waren. Op het
dek werd heen en weer gelopen, in het ruim naast het hunne
begon de bemanning de brandstof uit te laden.

'Waarvoor heeft hij al die brandstof nodig?' vroeg Becca.

'Het is benzine met een hoog octaangehalte. Dat heb ik ontdekt toen ze het in Shanghai aan boord brachten. We zijn aangekomen op het eiland Wenzi', fluisterde Xi. 'Maak je borst
maar nat. Deze tong is meedogenloos.'

Becca was bezig de naden van de binnenzak van haar jas los
te halen. Ze liet haar dagboek, pen en de ketting in de voering
glijden en streek de plooien glad. Doug deed hetzelfde met
zijn zakkompas. Kort daarop schreeuwde de bootsman ze
door het geopende luik toe. 'Aan dek! Omhoog!'

Van Xi's gezicht viel af te lezen dat hij er zin in had Chung-
Fat weer te zien. Hij sprong de trap op alsof hij op weg was
naar een oude vriend, maar bovenaan wachtte hij even en keek
Doug en Becca ernstig aan. 'Een van de dingen die meester Aa
me geleerd heeft: wees nooit bevreesd voor je vijand, dat zal
hem alleen maar sterker maken.'

De MacKenzies beklommen de wrakke ladder stukken minder energiek dan Xi. Aan dek moesten ze hun ogen dicht-
knijpen tegen het felle zonlicht. Toen ze om zich heen keken,
zagen ze dat de jonk aangemeerd lag in wat een inham met
steile wanden leek. Diepblauw water kabbelde tegen de kade-
muren en grote meeuwen met zwarte koppen deinden mee op
de golven. De vogels keken nors. Hoewel het al warm was, liep
er bij Doug een koude rilling over zijn rug.

Het uitladen van de brandstof ging gepaard met
geschreeuw en gefluit. De vaten werden in kleine sampans

overgeladen, die vervolgens een grot aan de voet van het klif binnenvoeren. De ingang was een natuurlijke spleet van ongeveer vijfentwintig meter hoogte, die bij de waterspiegel in een boog was uitgehouwen.

Doug liet zijn blik met een hand boven zijn ogen langs de spleet omhoog gaan. 'Mijn God', fluisterde hij, niet in staat zijn angst te verbergen.

Xi en Becca keken op en hielden hun adem in. Een majestueus eeuwenoud fort torende boven hen uit. Het rijk versierde poortgebouw stak er bovenuit en liep taps toe, recht de hemel in. Het was beangstigend. Het steenwerk had een vreemde groen-blauwe weerschijn, en was versierd met gedetailleerd beeldhouwwerk, bestaande uit duivelse figuren. Doug kon niet weten dat het het werk was van steenhouwers die eeuwen eerder door wrede meesters aangestuurd werden, maar hij herkende het macabere thema: beelden van meedogenloze marteling en moord, uitgevoerd door vuurspuwende mythische beesten op weerloze mensen. Lichamen zonder hoofd dansten in vuren die opgestookt werden door kannibalen die kauwden op menselijke botten. Langs de onderzijde liep een fries van ongeveer vijftien meter lengte, bestaande uit duizenden schedels met holle oogkassen en opengesperde kaken, voor eeuwig verstard in een stenen doodschreeuw. Zelfs Xi viel stil, overweldigd door wat hij zag.

Chung-Fat dreef ze de wal op. Langs een kronkelpad stegen ze naar de enorme bronzen deuren. Een ervan hing scheef, losgetrild door een lang vergeten aardbeving. De deuren waren vijftien meter hoog en bijna een meter dik. Ook hier duivelse taferelen: Chinese demonen met slagtanden en grauwende draken, waarvan de geschubde staarten zich over de bovenkant van de deuren slingerden.

Detail van de bronzen deuren van het fort.² (MA 809.114 WEN)

Maar ze kregen niet de tijd om alles goed te bekijken. Chung-Fat snauwde een paar bevelen en ze werden gedwongen in gelid achter hem aan te lopen, terwijl een aantal piraten hen opdreef. Voorbij de poort bevond zich een kleine binnenplaats. In een hoek lag een vals uitziende vrouwelijke piraat een opiumpijp te roken. Haar kin was misvormd door de V.

'Waar is mijn broer, de geachte piratenleider Sheng-Fat?' vroeg Chung.

'Beneden. In de eetzaal', antwoordde ze. 'Hij is kwaad. Hij verwachtte jullie bij de dageraad.'

---

2 Tekening gemaakt tijdens de EGS-verkenningstocht op Wenzi van kapitein William MacKenzie in 1796 (zie bijlage 5).

Doug kreeg het Spaans benauwd. Hij dacht aan de toestand van Chambois na zijn verblijf in het fort van Sheng-Fat, en rilde van afschuw. Hij balde instinctief zijn vuist om zijn pink heen.

Aan de zijde van de riviermonding stonden nog delen van de enorme buitenmuur overeind, overgroeid met bomen en kreupelhout, maar voor het grootste gedeelte waren ze verwoest door aardbevingen. Het leek er wanordelijk: een nieuw, uit bamboe opgetrokken dorp was op de ruïnes van het oude fort gebouwd. Met elkaar verbonden looppaden slingerden zich over gaten in de muren en van gebouw naar gebouw. Ondanks de schade stonden er nog vier torens overeind, met steil oprijzende Chinese daken. Toen ze de centrale binnenplaats opkwamen, verstijfden Doug en Becca: vier rottende hoofden waren op bamboestaken gespietst. De ogen staarden in het niets en de monden hingen open, alsof ze naar hun laatste adem snakten. Er hing een ziekmakende weeë geur. Doug kokhalsde. Hij draaide zich om naar Becca, die net zo groen zag als hij zich voelde.

Ze werden naar een van de weinige nog intacte stenen gebouwen gedreven. De voorzijde werd gedomineerd door twee bronzen deuren met afbeeldingen van een vuurdood.

'Ik geloof dat ik tante Margaret begin te missen...' begon Becca. Ze zag de duistere stenen trap die naar beneden voerde, als een verloren gewaande doorgang naar de hel.

'Mond dicht', snauwde Chung-Fat. Hij greep ze vast en duwde ze achter Xi aan.

Onderaan de trap bevond zich een lange, gewelfde ruimte die was ingericht als eetzaal. De zaal vormde duidelijk het hart van Sheng-Fats onderneming. Het was er minder duister dan verwacht. Een deel van het dak was ingestort en door het gat stroomde daglicht de rokerige ruimte binnen. Ze hoorden ergens iemand gillen van pijn.

Aan het ene uiteinde van de zaal viel een straal daglicht op een man die niemand anders kon zijn dan Sheng-Fat. Hij zat in een vergulde zetel op een plankier, die in het licht schitterde als een troon. De intense bedreiging die van de man uitging, had een verstikkende invloed op de zaal. Zijn gezicht was ontdaan van elke spoor van menselijkheid of mededogen; zijn kille blik had een zomer tot winter kunnen maken.

Op de vloer voor hem kronkelde een vrouwelijke gevangene, ze hield een hand omvat en gilde het uit van de pijn. Een aantal vazallen van Sheng-Fat stond langs de wanden, en keek toe hoe de piratenleider zich vermaakte.

Sheng-Fat schoof heen en weer in zijn zetel en ging toen rechtop zitten om de nieuwe gevangenen goed te kunnen bekijken. Doug richtte zijn aandacht op de ketting die hij om had. Becca zag de knokenketting ook. Ze haakte haar handen achter haar rug in elkaar en hield haar adem in. Een van die vergelende vingerkootjes is van Chambois, dacht Doug.

'Hoor eens, meneer', steunde de vrouw. 'Je vergist je als je denkt dat mijn vader mij terug zou willen hebben! Hij heeft een nog grotere hekel aan mij dan aan mijn moeder!' Ondanks haar van pijn verwrongen stem, kwam haar Texaanse dialect duidelijk over. Sheng-Fat keek verveeld, het was of hij het al vaker gehoord had. 'Dus waarom laat je me verdomme niet gaan?!' Ze ging met moeite op haar knieën zitten en wikkelde kreunend een zakdoek om haar bloedende pink.

'Waar is de brandstof, broer?' vroeg Sheng-Fat. Hij spoog een brok voedsel uit, hoestte en veegde zijn mond af aan zijn mouw.

'Hé! Ik praat tegen je! Luister naar me!' De stem van de vrouw verloor aan kracht en bravoure.

'Die wordt nu ontscheept en naar de grot vervoerd.' Er klonk angst door in de stem van Chung-Fat. Hij schuifelde wat heen en weer, het hoofd gebogen.

'Mooi. En wie zijn deze scharminkels? Je mocht je tijd niet verdoen met gijzelaars. Ik wilde de brandstof bij dageraad hebben.'

'Ik heb niemand gevangen genomen. De lading kwam te laat aan in Shanghai. Deze drie zijn verstekelingen.'

Sheng-Fat kneep zijn ogen tot spleetjes. 'Het zijn kinderen.'

'Ik vertrouw ze niet', vervolgde Chung-Fat. 'Deze hier is een Sujing Quantou-strijder.'

Sheng-Fat bekeek Xi. 'Een Sujing? Dat is een verrassende vangst, broer', zei hij wantrouwig. 'Misschien kan hij onze Engelse vriend van nut zijn. En die andere twee?'

'Die zijn in Shanghai aan boord geslopen. Ik geloof dat ze elkaar kennen.'

Sheng-Fat stond op en liep langzaam op de gevangenen af. Hij drukte het lemmet van zijn parang tegen Dougs oor aan. Doug voelde de scherpe snede in zijn huid bijten. Er zat nog vers bloed aan het lemmet. De piratenleider glimlachte. Doug kromp ineen toen hij de tot puntjes afgevijlde tanden van Sheng zag. Becca stond als aan de grond genageld.

'Hebben jullie wel eens gehoord van zonnedochter?' blafte Sheng-Fat.

'Nee… Nee.' Zei Doug.

'Hé! Laat dat kind met rust', schreeuwde de gewonde vrouw.

Sheng-Fat draaide zich om en schopte haar. Ze kronkelde van de pijn en toen ze opkeek naar de MacKenzies werd haar gezicht beschenen door een straal licht.

'Liberty da Vine. Aangenaam kennis te maken. Ik ben vernoemd naar het standbeeld in New York, maar ik licht niemand bij met een fakkel!'

LIBERTY DA VINE

Deze variétéartieste, dochter van oliebaron Theorore da Vine, staakte op 18-jarige leeftijd haar opleiding aan een Zwitsers internaat om zich te voegen bij een vliegend circus, waar ze vleugelloopster en parachutiste was. Maar Liberty was niet gelukkig als passagier, en de rusteloze jonge vrouw haalde al snel haar vliegbrevet. Haar talent als stuntvlieger maakte haar tot een topattractie, maar haar werkelijke voorliefdes waren snelheid en lange-afstandvluchten.

'Stilte!' brulde Sheng-Fat.

Chung greep de kraag van Liberty's vliegeniersjack en trok haar overeind. Hij zette haar naast Becca neer. Ze was begin twintig, gedrongen, en had donker haar, met een strakke, Cleopatra-achtige pony. De rest van haar haar was één grote warboel. Ze had blauwe plekken en schaafwonden op haar gezicht, maar in haar ogen glom een verleidelijk gevaar dat haar bijna tot een schoonheid maakte. Op haar hoekige jukbeenderen zaten nog vegen motorolie, om haar nek hing een vliegeniersbril als het symbool van haar beroep. Ze droeg een gescheurde zijden sjaal die ooit helderrood was geweest, maar nu vaal okerkleurig was. Becca bevoelde nog eens de ketting. Die was van Liberty, en nu begreep ze waarom hij zo smerig was.

Sheng richtte zijn aandacht weer op Doug. 'Hoe heet je? Hoe heet het meisje? Wil je niet zeggen? Kun je niet herinneren? Goed, ik vraag het opnieuw.' De druk op het lemmet nam toe. 'Ik wil met dit tere oor horen of jij ooit van zonnedochter gehoord hebt.'

'Als je mijn broer pijn doet zal dat je bezuren!' riep Becca. Haar uitbarsting verraste niet alleen haarzelf maar iedereen.

Sheng-Fat staarde haar aan. 'Die meid heeft pit, Chung-Fat. Hoe zal het mij

bezuren?' Hij boog voorover om haar beter te kunnen bekijken en sprak onheilspellend zacht. 'Zeg het me.'

Doug dacht razendsnel na. Er schoot van alles door zijn
hoofd. Hun enige hoop was om tijd te rekken tot de aanval
van de kapitein. 'Wij zijn Liberty's neef en nicht, Douglas en
Rebecca da Vine. We gingen naar het Huis der Loze Verstrooiing om te onderhandelen over het losgeld. Uw broer Chung-
Fat was er niet, dus onze gids Xi, een huurling, bracht ons naar
zijn jonk. We gingen aan boord en raakten opgesloten in een
ruim voor we maar iets konden zeggen.'

Sheng-Fat leek plotseling zijn interesse verloren te hebben.
Hij liet het wapen zakken en ging weer in zijn zetel zitten. Hij
stak een houten pijp aan met behulp van een kaars en inha-
leerde een paar teugen opium. 'Het is niet moeilijk om te ontdekken of je de waarheid spreekt. We zullen deze drie op de
gebruikelijk wijze wel murw krijgen. De Engelsman wil jou
vast graag leren kennen, Sujing Quantou. Alles wat te maken
heeft met Sinkiang boeit hem zeer. Misschien kan hij ook zijn
licht laten schijnen over de andere twee verstekelingen. Haal
hun zakken leeg en zoek legitimatiebewijzen.'

'De jongen heeft een sleutel', zei Chung-Fat. 'Dat is alles.
Kamer 10, Hotel en Theehuis Madame Zing Zing, Shanghai.'

'Stuur bericht naar Shanghai, laat het onderzoeken. Tot we
nieuws krijgen, kunnen ze van onze gastvrijheid genieten in de
getijdekooien', zei Sheng-Fat.

'De Engelsman zegt dat u Liberty nu kunt doden. Ze heeft
haar taak vervuld.'

'Liberty doden? Ze kan de Engelsman wel niet meer van nut
zijn, maar ze is nog steeds waardevolle handel. Haar vader gaat
vast een goede prijs betalen, hoewel ik me afvraag of zo'n man
zulke kinderen stuurt om daarover te onderhandelen.'

'Inderdaad, broer', zei Chung-Fat instemmend.

'En die 'neef en nicht' zijn me een raadsel. Wellicht zuivert het getij hun geest van de onwaarheden en leugens die ze uit-kramen. We spreken elkaar over twee dagen weer, als jullie magen rommelen en jullie geest gebroken is. Dan zullen jullie de waarheid uitgillen, net als de anderen. Als jullie inderdaad Da Vine's zijn, zal ik het losgeld verdriedubbelen. Breng ze weg! Allemaal!'

'Mooie boel', kreunde Liberty. 'Zonneschijn en zeelucht. Net wat een meisje nodig heeft om bij te komen.'

Doug kwam naast Liberty te lopen toen ze de hal werden uitgeleid.

'Wij zijn vrienden', fluisterde hij.

'In ieder geval niet mijn neef en nicht, dat weet ik zeker', antwoordde ze. 'Hoor eens, ik maak heel snel vijanden, en heel langzaam vrienden. Wat stinkt hier zo godsgruwelijk?'

'Dat zullen mijn sokken wel zijn. Ze brengen geluk.'

'Voor jou misschien', zei ze. Ze bracht haar bebloede zak-doek naar haar neus. 'Voor de rest van de mensheid zijn ze een vloek.'

'Daar kun je wel eens gelijk in hebben', overwoog Doug.

'Kijk eens om je heen, maat. Kun je je voorstellen dat hun geluksbrengend vermogen uitgeput is?'

HOOFDSTUK 12

Als martelwerktuig waren Sheng-Fats getijdekooien onovertroffen. Het wrede tuig lag in de riviermonding, een eind verwijderd van het fort, en er was niets anders nodig dan de kracht van de zee om de slachtoffers doodsangst aan te jagen. De werking was eenvoudig: de zee rees en daalde, maar de kooien zelf zaten vast. Bij eb hingen de gevangen boven het water. Bij vloed kwam het water tot aan de bovenkant van de kooi.

Doug drukte zijn gezicht tegen de bovenkant van de kooi die van bamboestokken gemaakt was en snakte naar lucht. Het was ongeveer tien uur in de avond en het water had het hoogste punt bereikt. De kooi werd vrijwel helemaal overspoeld door water, de golfjes in de riviermonding sloegen over hem heen. Het vergde een enorme concentratie om te voorspellen wanneer de zee zich even terugtrok zodat hij een teug lucht naar binnen kon zuigen.

Hij hoorde dat Becca en Liberty hem bemoedigend toeschreeuwden, en hij vroeg zich af waar ze de lucht vandaan haalden. Hij was al drie keer bijna verdronken omdat hij in plaats van lucht zeewater naar binnen had gezogen.

Heel langzaam begon het water te zakken. Eerst dacht hij dat hij het zich verbeeldde, maar na anderhalf uur vechten voor zijn leven, besefte hij dat hij het overleefd had. Het ademen ging nu weer makkelijker.

'Nog één nacht, en dan is het voorbij', zei hij opgelucht.

'Ik geloof dat je nog niet door hebt hoe het hier werkt, maat', sputterde Liberty tegen. 'Niets is hier ooit voorbij, het wordt alleen maar nóg gevaarlijker. Kijk maar eens naar je buurman.' Doug zag bij het licht van de maan het rottende lijk van een man die zich nog steeds vastklemde aan de bamboe tralies. De golven en de stroming speelden met zijn kaak, waardoor zijn mond zich opende en sloot. 'Ik wil wedden dat hij niet lachend gestorven is.'

'Wacht maar tot morgen. Dan begint onze oom zijn aanval. Als Sheng-Fat overwonnen is, hebben we een reden om te lachen.'

'Wat zeg je? Gaat je oom het eiland aanvallen?'

'Ja. Morgennacht.'

'Wat bedoel je, morgennacht?' Er klonk ongeloof en wantrouwen door in haar stem.

'Eh, ja.'

'Doug! We mochten niets zeggen', riep Becca.

'En dat moet ik geloven?' vroeg Liberty. 'Hoe weet hij over dit eiland?'

'Dat heeft monsieur Chambois hem verteld', biechtte Doug op.

'*Chambois*? Kennen jullie Chambois? Godverdomme, ik had die Fransman al afgeschreven. Ik dacht dat hij dood was. Waarom hebben jullie me dat niet verteld? En hoe wil jullie oom die aanval dan wel niet aanpakken?'

'Hij gaat de riviermonding opvaren. Hij heeft een schip met verborgen geschut...'

'Vaart hij naar het fort toe? Dat is waanzin!'

'Nou, de aanval komt van twee kanten...'

'Wat gaat hij inzetten?' vroeg ze geërgerd. 'Hooivorken?'

'Hij krijgt hulp van...'

'Doug, hou toch je kop!' riep Becca. 'Jij kunt ook niets geheim houden.'

Uit Dougs schetsboek: De getijdekooien van Sheng-Fat… (DMS 2/11)

'Dat klopt', zei Xi. 'Wij, de eerbare Orde van de Sujing Quantou, doen mee met de aanval.'

'Nee, dan komt alles goed', spotte Liberty. 'Jij zit vast in een bamboekooi, dus je bent net zo nuttig als een regenjas in Nevada.'

'Er zijn er veel meer.'

'Hoe veel meer?'

'Eenendertig.'

'Eenendertighonderd. Dat geeft Sheng-Fat stof tot nadenken', zei Liberty enthousiast.

'Nee, eenendertig.'

'O, nee. Nee, nee, nee. Je maakt een geintje. Eenendertig? Hoeveel manschappen heeft je oom, maatje?'

'Je begrijp het niet. De aanvalsmacht bestaat uit eenendertig personen', legde Doug uit. 'En een tijgerin. Hoewel die nog in Shanghai…'

'Ik wil er niets meer over horen. Wat een onzalige kletspraat.'

'Het is allemaal echt waar', zei Becca. 'Als we het hier uithouden tot morgennacht, kunnen we aan boord komen van de Expedient.'

'Wacht eens even. Je zei dat je oom de riviermonding op zou varen. Weet hij dat er op het poortgebouw een kanon staat?'

'Ja.'

'Daar heeft hij dus wel een oplossing voor verzonnen. Maar het zal evengoed mislopen.'

'Waarom?'

'Hij vergeet de drakentanden. Er is een kaapstander die in verbinding staat met kettingen in de riviermonding. Daarmee trekken ze een aantal ijzeren staken omhoog. Een schip kan naar het fort varen, maar komt er nooit meer weg. De kiel zal stukscheuren als een blik bonen door een blikopener. Het hele plan is gedoemd te mislukken.'

'Maar Chambois heeft het de kapitein vast verteld. Hij heeft het fort verkend!'

'Ik zou er maar niet op rekenen. Chambois wist niets van de drakentanden. Ik heb het zelf pas een paar weken geleden ontdekt, toen we gedwongen werden de kettingen van de kaapstander te smeren.'

Doug hoorde een zwemmer. Eerst dacht hij dat het een van Shung-Fats mannen was. Hij verstijfde en vroeg zich angstig af wat hij gehoord kon hebben.

'Xi! Ik ben het, Xu!' Vanuit het duister klonk een opgewonden stem.

'Dat werd tijd. Waar zat je?' vroeg Xi.

'Ik kon niet van de jonk af tot het donker was.'

Bij het licht van de maan leek Xu als twee druppels water op Xi. Ze waren precies hetzelfde, het was een eeneiige tweeling. Dus ze zaten met z'n tweeën op de jonk, bedacht Doug.

Zo kon Xi aan voedsel en water komen. Xu was onontdekt gebleven.

Xi begon zijn broer te kapittelen. 'Waarom kwam je me niet helpen toen ik met de kok vocht? Aan jou heb je ook niets, net als die twee.'

'Zij waren met te veel. Je mag van geluk spreken dat ze je niet aan flarden geschoten hebben. Zelfs meester Aa had zo'n overmacht niet aangekund.'

XU EN XI

De Sujing Quantou-twee-ling was zeer verschillend van aard. Xi was opvlie-gend en arrogant, Xu rus-tig en bedachtzaam. Xi was vanaf de geboorte voor-bestemd de nieuwe leider te worden van de Sujing Quantou en liet dat Xu te pas en te onpas voelen.

'Waar heb je je verstopt?' vroeg Becca.

'Hoor eens, het is erg gezellig, maar ik zou het wel fijn vinden als je broer me uit dit bamboehok zou bevrijden. We hebben van alles te doen en we verspillen tijd', zei Liberty. 'Als die oom hier Sheng-Fat komt verslaan, moeten wij de drakentanden onklaar maken. Anders komen we hier nooit meer weg.'

'Ik ga terug naar de haven om een zwaard te zoeken waar-mee ik de bamboestokken kapot kan hakken', zei Xu.

'Doe dat, vriend', riep Liberty toen Xu wegzwom. 'En als je Sheng-Fat ziet, zeg hem dan maar dat ik het goed beu ben als een papegaai in een kooitje te zitten! Ik hoest voor niemand gouden muntjes op!'

'Liberty!' riep Becca uit. 'Ik vergat je helemaal je ketting te geven.'

'Wat?'

'Je gaf Chambois een ketting. Ik heb hem in mijn zak.'

'Ik had gehoopt dat foeilelijke ding nooit meer te zien. Niet gooien, schatje, met al dat water. Gebruik hem maar om de

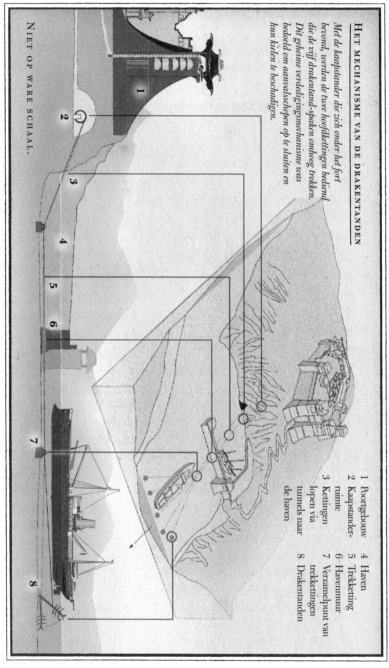

Met de kaapstander die zich onder het fort bevond, werden de twee hoofdkettingen bediend die de vijf drakentand-spaken omhoog trokken. Dit geheime verdedigingsmechanisme was bedoeld om aanvalsschepen op te sluiten en hun kielen te beschadigen.

NIET OP WARE SCHAAL.

1 Poortgebouw
2 Kaapstander-ruimte
3 Kettingen lopen via tunnels naar de haven
4 Haven
5 Trekketting
6 Havenmuur
7 Verzamelpunt van trekkettingen
8 Drakentanden

touwen van je kooi mee door te snijden. Voor het geval onze
nieuwe vriend niet terugkomt met een zwaard.'

❖

Xu kwam niet terug met een zwaard. De nacht ging over in de
dag en de gevangenen werden zich bewust van de werkelijke
omvang van de marteling. Met elk uur dat voorbijging werd
het steeds benauwder in de kooien en de onverbiddelijkheid
van de vloed vrat aan hun vermoeide geest. Doug wist dat de
vloed hoger zou zijn dan de vorige, de maan was immers vol
en dat betekende een springvloed. Maar hoe veel hoger? De
laatste vloed was een gevecht op leven en dood geweest, de
komende kon dodelijk zijn. Maar Shang-Fat wist dat en terwijl
het water tegen het middaguur steeds verder steeg, liet hij zijn
mannen de kooien iets omhoog hijsen. Zo zouden de gevangenen niet verdrinken, maar hun kwelling zou voortduren.

Er gebeurden die dag twee dingen die de gevangenen even
afleiding gaven. Een groot watervrachtvliegtuig landde vlak
voor hen en gleed langzaam de haven binnen. Tien minuten
later steeg het weer op. Liberty omschreef het als 'een gedrocht
van een vliegtuig' en dacht dat het vloog voor een onderneming die in Shanghai gevestigd was. Het tweede vliegtuig
hoorden ze alleen, het landde stroomopwaarts, voorbij het
fort. Liberty herkende het geluid van de motor en er volgde een
stortvloed aan scheldwoorden.

Om tien uur 's avonds waren hun kooien alweer voor drie-
kwart gevuld met water. Het werd weer vloed. Doug vreesde de
golven die rond zijn hals klotsten. De duizenden insecten die
bij zijn dode buurman rondzwermden deden hem niets, maar
de zee joeg hem een enorme angst aan. Het was een afgrijselijk

gevoel om ingesloten te zijn door de bovenkant van de kooi. Erger nog was het gevangen te zitten onder de golven, happend naar adem, omdat een langsvarende jonk de kooi een aantal seconden helemaal overspoelde. Hij rukte voor de duizendste keer die dag aan de bamboestokken boven zijn hoofd.

'Waar heb jij uitgehangen? Shanghai?' Dat was Xi, die zijn broer aan zag komen zwemmen. 'Je werd gisternacht al terug verwacht.'

Xu liet zich op de stroming naar de kooien drijven. Hij bewoog nauwelijks. Hij stak een hand uit en greep zich vast aan de kooi van zijn broer. 'Wees blij dat ik er ben', zei hij. Hij wreef het water uit zijn ogen en trok een roestige parang onder zijn riem vandaan.

'Is dat alles?' vroeg Xi vol walging. 'Hebben we daar de hele dag op gewacht?'

'Toon je liever dankbaar dat ik deze heb kunnen vinden. Ik moest me verstoppen in het kreupelhout. Snel, er komen gewapende mannen aan.'

Een stukje verderop dansten fakkels hen tegemoet tussen boomstammen door.

'Het zijn er tien. Ik zag ze een halfuur geleden het fort verlaten', fluisterde Xu.

'Ze zullen ons naar Sheng-Fat brengen', zei Doug.

'Snel', beval Xi. 'Snij de touwen door. We moeten ontsnappen voor ze het strand bereiken.'

Xu ging bovenop Xi's kooi zitten en begon in te hakken op de touwen. Becca had de hele dag zitten snijden met de ketting van Liberty. Als sieraad was hij groot, als snijwerktuig klein, en ze had maar langzaam voortgang geboekt. Ze had slechts de helft van de touwen doorgesneden en er zat nog nauwelijks beweging in de kooi.

'Hoe lang hebben we nog voor ze het strand bereiken?' vroeg Becca. Ze trapte ontgoocheld tegen de bamboestokken.

'Vijf minuten, misschien nog minder', zei Doug.

Xi zette zich schrap tegen de andere kant van zijn kooi en duwde met zijn voeten tegen de bovenkant. Xu ging snel te werk, hij hakte en sneed. Eindelijk vloog de bovenkant van de kooi af. Xi wurmde zich uit de kooi en zwom naar Becca toe.

'Nee! Er is niet genoeg tijd!' riep Becca. 'Ik heb de ketting, misschien lukt het me. Begin met de anderen.'

Xu en Xi gingen niet in discussie en zwommen naar Dougs kooi.

Liberty werd ongeduldig. 'Die fakkels gaan niet de andere kant op, hoor.'

Doug deed wat Xi gedaan had, hij zette zich schrap en duwde met zijn voeten tegen de bovenkant. De bamboe tralies schoten los als een rotte kies en hij klom uit de kooi. Toen was het de beurt aan Liberty, maar ze waren nog niet begonnen met snijden of het lemmet van de parang brak af en zonk naar de zeebodem.

'Wat doe je?' snauwde Xi, alsof zijn broer een of andere laaggeplaatste leerling was.

'Hou je mond en trek aan de tralies.'

'Geef me geen opdrachten! Ik ben de uitverkoren leider van de Sujing Quantou...'

'Ik-ben-de-uitverkoren-leider-van-de-Sujing-Quantou!' bauwde Xu hem na, zijn hoofd heen en weer bewegend.

'Kom op jongens, we hebben weinig tijd.'

De fakkels waren nu zo dichtbij dat ze de walm ervan konden ruiken, maar de piraten hadden nog niet door wat er gaande was. Becca deed er nog een schepje bovenop met de ketting. Doug zwom naar haar toe om haar te helpen.

'Doug, zwem naar het strand en verstop je', zei ze.

'Ik ga nergens heen. Ik haal je uit die kooi.'

'We hebben geen tijd meer. Jij en Liberty moeten naar de kaapstanderruimte, anders mislukt de aanval.'

Wilde kreten en geweerschoten klonken op in de duisternis. De bewakers hadden door dat de gevangenen bezig waren te ontsnappen.

'Ik laat je hier niet achter', hield Doug aan.

'Je moet mee met de anderen. Met z'n vieren kunnen jullie iedereen redden. Ga met Liberty mee', zei Becca resoluut.

Na een inspannende worsteling en veel gevloek was Liberty eindelijk vrij. 'Hoe maak jij het, nicht Rebecca?' riep ze.

'Het gaat niet lukken. Neem Doug mee. Ga naar de kaapstanderruimte.'

De bewakers waren al op minder dan tweehonderd meter afstand en kwamen snel naderbij.

Doug keek zijn zus aan.

'Je hebt geen keus', zei ze.

'Ze heeft gelijk', zei Liberty. 'Kom op, maatje.'

'Doug, ga!'

Hij aarzelde. 'Ik kom onmiddellijk terug als we de lier onklaar hebben gemaakt.'

Er was geen tijd meer. Liberty duwde Doug het water in. 'Hou vol', riep ze over haar schouder. 'En onthoud goed dat je levend van grotere waarde bent voor Sheng-Fat dan dood.'

De vier vluchtelingen zwommen de beschermende duisternis tegemoet. De stroming was krachtig en gevaarlijk, en deed ze snel afdrijven. Liberty zwom voorop, op weg naar een landtong waar ze het kreupelhout in konden vluchten. Toen Doug vaste grond onder zijn voeten voelde, keek hij achterom. Becca's getijdekooi was omringd door een zwerm nijdig dansende fakkels.

HOOFDSTUK 13

Doug en de anderen waren het kreupelhout ingetrokken om aan hun achtervolgers te ontkomen. Xu en Xi leken daar van nature goed in te zijn, ze hadden de bewakers van Sheng-Fat om de tuin geleid en in de war gebracht. Ze waren in de richting van het fort gelopen, en hielden op een meter of vierhonderd ten oosten van de muren halt. Daar zouden ze de aanval van kapitein MacKenzie afwachten. Ze zaten op een heuvelflank en hadden een prima uitzicht over de riviermonding die lag te glinsteren in het licht van de maan.

'De kaapstanderruimte bevindt zich diep onder het fort. We kunnen daar alleen komen als we gedekt worden door de aanval van de kapitein', zei Liberty. 'We laten hem dichtbij komen en het vuur openen, en dan rennen we naar die bres in de muur.' Ze wees naar een van de drie bressen in de muur van het fort. 'Blijf bij me in de buurt, maat. Ga niet in je eentje op stap.'

'Waarom gaan we niet nu? Voor hij aanvalt?'

'Hij heeft baat bij het verrassingselement en wij bij de janboel die in het fort zal ontstaan om er ongezien binnen te komen. Het zal kantje boord worden.'

'Denk je dat het ons gaat lukken?'

'Joost mag het weten, Doug. Ik zou zeker niet deze nacht uitgekozen hebben, je kunt mijlenver kijken. Ik hoop dat je oom weet wat hij doet.'

Onder hen stroomde het water naar open zee, glinsterend in het licht van de volle maan. Het zicht was zeer goed. Aan hun rechterhand zagen ze de muren van het fort en het enorme kanon op het poortgebouw. Ongeveer dertig meter onder hen stond een van de verborgen kanonnen. Ze waren om de geschutsstelling heen gelopen tijdens hun vlucht voor de bewakers. Het was een achterlader, die wel wat weg had van de twaalf-ponder op de Expedient, en levensgevaarlijk voor schepen in de omsloten wateren daar beneden. Ze konden de drie mannen die de bediening vormden, horen lachen. Doug werd steeds ongeruster. Sheng-Fats mannen hadden een vrij schootsveld.

Xu en Xi, die aan het sprokkelen waren geweest, kwamen terug met een bundel gras en stokken.

'Jullie zijn vreemde vogels, hoor', zei Liberty. 'Je gaat nu toch geen padvinder spelen?'

'We moeten de kapitein helpen door zo veel mogelijk afleidingstactieken te gebruiken', zei Xi.

'En wat gaan jullie dan doen? Sheng-Fat tot overgave dwingen met behulp van een luizig vogelnest?' grinnikte Liberty.

Doug liet zich met zijn rug tegen een rotsblok zakken. Hij dacht aan Becca en de laatste akelige minuten in het water. Hij had een afgrijzen in haar blik gezien dat hem niet losliet. Hadden ze haar uit de kooi kunnen bevrijden? Waren ze te snel gevlucht? Ineens drong zich een ijskoude gedachte op: als hun vader en moeder dood waren en Sheng-Fat Becca vermoordde, was hij alleen op de wereld. Hij draaide zich om en probeerde troost te zoeken bij het rotsblok. Hij dacht aan de ketting van vingerkootjes. Uitgeput viel hij in een onrustige slaap.

⬥⬥⬥

'Breng haar hier.' Sheng-Fat had een woedende blik in zijn ogen. Hij liet zich van zijn zetel glijden en trok zijn parang. 'Jij bent de enige gijzelaar die over is. Jij en die dikke kokkin die we in Shanghai aantroffen.'

Een volslanke figuur werd vanuit de schaduwen naar de traptreden van de verhoging geduwd.

'Mevrouw Ives!'

'Rebecca! Wat gebeurt er allemaal?' De glimlach van verrassing op het gezicht van mevrouw Ives veranderde in een grimas. 'Jij en ik gaan hier later nog eens rustig over praten', fluisterde ze. 'Weglopen uit het hotel van madame Zing Zing. Ik heb geen oog meer dichtgedaan. De politie heeft een onderzoek ingesteld. Waar is je broer?'

'Ergens op het eiland. Het spijt me vreselijk, mevrouw Ives.'

'Het zal je nog veel meer spijten als de kapitein hoort wat jullie uitgehaald hebben. Hij houdt er niet van als mensen zijn bevelen negeren.'

Becca klemde Liberty's ketting stevig in haar vuist en ze kroop dichter tegen het vertrouwenwekkende lichaam van de kokkin aan.

'We zouden ze bij de volgende vloed moeten verdrinken', gromde Chung-Fat.

'De artiesten verdrinken?' Sheng moest lachen. 'Daar is toch geen lol aan? We gaan ze eerst laten dansen, broer. Ze zullen dansen op het wijsje van hun eigen angstkreten.'

Sheng-Fat glimlachte samenzweerderig, waarbij zijn bijgevijlde tanden bloot kwamen. Becca en mevrouw Ives werden de verhoging opgeduwd. De ogen van Sheng lagen zo diep in hun kassen dat ze nauwelijks te zien waren. Toen hij zich naar voren boog om Becca goed aan te kunnen kijken, bungelden

DE PARANG

Een wapen dat in Zuid-Oost Azië gebruikt wordt, en dan vooral in de Zuid-Chinese Zee, Maleisië, Indonesië en op de Filippijnen. Het heft is van houtsnijwerk en het lemmet is aan één kant gescherpt. Een ideaal wapen voor man tegen man gevechten, zoals tijdens het enteren van schepen.

de vergeelde vingerkootjes vlak voor haar gezicht. Er hingen minstens zeventig botjes aan de ketting.

'Jij! Wie ben je? Waarom ben je in Shanghai aan boord van mijn jonk gegaan?'

Becca gaf geen antwoord. Ze zag de Hertogin. Vastgeketend aan een van de stenen pilaren. Ze trok aan haar ketting en brulde naar Sheng-Fat.

'Hertogin!' fluisterde Becca.

'Aha, vind je mijn nieuwe huisdier wel lief? Als haar humeur niet verbetert, zal ik er een haardkleedje van moeten maken.'

De Hertogin keek strak naar de nek van Sheng-Fat en probeerde een sprong te maken, waardoor ze zichzelf haast worgde omdat de riem in haar hals sneed.

'Dat zou ik wel eens willen zien', zei Becca. Ze wendde zich tot mevrouw Ives. 'Hoe hebben ze haar hier gekregen?'

'Ze hebben ons verdoofd. Lieten de hotelkamer volstromen met een of andere stinkende rook. Madame Zing Zing denkt vast dat we zonder te betalen met de noorderzon vertrokken zijn.' Mevrouw Ives wreef met de rug van haar hand langs haar ogen.

'Jullie zaten in dat vrachtvliegtuig. We zagen het landen.'

'Ja, gekneveld als een varkensrollade, ik was...'

Sheng-Fat trok Becca bij haar haar naar zich toe. 'Waarom zat je op mijn jonk!'

'Ik ben niet...'

'Waarom!?'

'Ik geloof dat ik wel enig licht op onze mysterieuze gast kan laten schijnen, Sheng-Fat.' Becca herkende de stem. Het was Linnen Pak. Hij sprak afgemeten, het was of hij zijn best deed om zijn woede te verbijten. Hij stond op een gammel balkon boven de verhoging, half verborgen in de duisternis.

'Ik herken het gezicht. Ik zag haar in je speelhuis, de nacht voor mijn vertrek uit Shanghai. Er was nog iemand bij haar.'

Zou hij het briefje ter sprake brengen? Vroeg Becca zich af. Of Chambois? Linnen Pak daalde via een halfvergane trap af naar de verhoging.

'Speelhuis?' zei mevrouw Ives stomverbaasd. 'Speelhuis?! Het wordt steeds gekker.'

'Ik hoorde dat ze zich voordoet als een Da Vine. Wel, Sheng-Fat, dat is ze niet. Nu ik haar iets beter kan bekijken, zie ik er een MacKenzie in.'

'Is ze geen Da Vine?'

'Absoluut niet.'

'De naam MacKenzie zegt me niets', zei Sheng-Fat. 'Zijn ze rijk? Zal de familie een hoge losprijs betalen?'

'Een van de redenen waarom ik voor je werk, is dat je altijd direct ter zake komt, Sheng-Fat. Ik vrees dat de MacKenzies eer en plicht altijd boven rijkdom hebben gesteld. Dat is hun grote zwakte.'

'Aan eer en plicht valt niets te verdienen.'

'Inderdaad, oude vriend. Toch is het een wonderbaarlijk toeval dat ze hier is.'

'We waren in het speelhuis om navraag te doen naar onze ouders. We kregen de tip dat Chung-Fat er misschien iets over wist. Ze waren op expeditie naar Sinkiang', bekende Becca.

'Je hoeft mij niet te vertellen wat je ouders uitspookten, meisje.' Linnen Pak gniffelde. 'Daar is absoluut geen reden toe.'

Becca's hart sloeg over. Linnen Pak wist iets.

Sheng-Fat vloog Becca plotseling aan. Hij greep haar zo stevig bij een arm dat ze bijna omviel.

'Losgeld kan ik dus wel vergeten', riep hij. 'Maar toch snij ik je pink af!' Hij wrikte haar pink los uit haar vuist en liet het lemmet van de parang vlak boven het topkootje rusten. Verlekkerd likte hij zijn bijgevijlde tanden af. Becca's maag kromp ineen bij de gedachte aan de pijn die haar te wachten stond.

Plotseling trilde de eetzaal op zijn grondvesten door een enorme explosie. Een groot stuk metselwerk viel van het plafond omlaag en stof wolkte op. De piraten schreeuwden, de broers keken elkaar geschrokken aan. Sheng-Fat duwde Becca tegen de grond en keek naar het plafond.

'Je zult nooit de zon meer op zien gaan, Sheng-Fat!' riep Becca.

Het gezicht van Linnen Pak vertrok van woede. 'Fitzroy MacKenzie', zei hij. 'Dat kan niet anders. Niemand is zo belachelijk stoutmoedig als hij.'

'Beman het poortgebouw en de muren!' sommeerde Sheng-Fat. Hij greep een geweer en rende naar de deur.

Linnen Pak kwam naar voren en greep Becca bij haar kraag. 'Jij en ik gaan naar het poortgebouw om te zien wat daar gaande is. Je kunt ons nog van nut zijn. Stop de oude vrouw weer in haar kooi', zei hij tegen Sheng-Fats mannen. 'De MacKenzies zijn buitengewoon volhardend. Of niet soms?'

Becca staarde hem aan met een blik vol haat en angst. Ze had niets te zeggen.

'Een mooie karaktertrek, maar wel één die ze ten val zal brengen.'

'Hé, maat. Opstaan.'

De stille nacht werd in tweeën gescheurd. De Expedient begon te vuren. Doug knipperde met zijn ogen.

'Het spel is op de wagen en we moeten aan de gang.'

'Hoe lang heb ik geslapen?' vroeg hij opgewonden. Hij wreef de slaap uit zijn ogen.

'Een halfuurtje. Je oom valt aan, net zoals je gezegd hebt. Verdomme, ik geloof mijn ogen niet. Moet je naar de rivier kijken. Zie je die mist?'

'Mist? Dat kan niet in een nacht als deze. Dat is onmogelijk', zei Doug. Dikke, witte mist rolde de riviermonding binnen. Het zag er spookachtig en onwerkelijk uit.

'Daar heb je gelijk in. Je zei dat je oom een plan had om ongezien de rivier op de varen. Ik wil wedden dat hij een mistmachine gebouwd heeft. Maar ik heb helemaal geen motoren gehoord.'

Dougs gedachten gingen terug naar de laatste nacht aan boord van de Expedient. De kapitein en Chambois hadden over een mistmachine gepraat. En er waren hulpmotoren...

Uit Dougs schetsboek: Mist trekt de riviermonding binnen. (DMS 2/23)

'Dat klopt wel, als ze de elektromotoren gebruiken.'

'Wat?'

'Je hoort het schip niet als ze de elektromotoren gebruiken. Het kan over korte afstanden geruisloos varen. Chambois en de kapitein moeten een mistgenerator gebouwd hebben.'

'Die Fransman zit boordevol goeie ideeën, niet?' zei Liberty.

Xu en Xi waren nog steeds in de weer met hun verzameling gras en stokken. Ze hadden een grote mand gevlochten met aan de ene kant een lang touw.

'We moeten gaan. Zeg tweeling, laat die boodschappenmand hier maar liggen, hoor.' De Expedient voerde weer een oorverdovend salvo uit. 'Tjonge, hij heeft meer vuurkracht dan een proppenschieter, maatje!' De granaten kwamen neer op de rotsen onder het poortgebouw.

'Ik zei je toch dat hij zou gaan aanvallen, Liberty!'

Xu en Xi keken op noch om. Xi wreef twee stokjes tegen elkaar, waardoor een amberkleurige gloed ontstond, waar Xu een dot droog gras bij hield. Het gras vatte vlam en Xu gooide de dot gras in de mand. Hij pakte de mand op bij het touw en begon die boven zijn hoofd rond te zwaaien, steeds harder, tot hij het touw losliet en de mand in de richting van de verborgen geschutsstelling vloog.

'Sujing Quantou!' riep Xi.

'Sujing Cha!' schreeuwde Xu.

Liberty en Doug keken stomverbaasd toe.

De vuurkorf kwam met een boog op het arsenaal granaten en cordietbommen terecht. Met een gigantische knal vloog het geschut de lucht in. Een enorme vuurbal schoot omhoog. Liberty had nog net tijd om Doug achter een rotsblok te duwen.

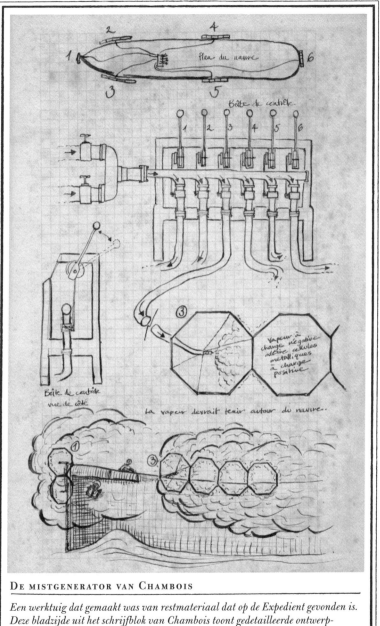

De mistgenerator van Chambois

Een werktuig dat gemaakt was van restmateriaal dat op De Expedient gevonden is. Deze bladzijde uit het schrijfblok van Chambois toont gedetailleerde ontwerp-schetsen. Zie aanhangsel 3 voor een verklaring van de werking.

'Doe dit thuis niet na', zei Liberty. 'Dat is levensgevaarlijk.'

'Dat was ik niet van plan', mompelde Doug geschokt.

'Mooi. Kom op. We gaan een kaapstander saboteren.'

Linnen Pak en Becca kwamen aan bij het geschutsplatform bovenop het poortgebouw. Sheng-Fat en zijn broer waren er kort tevoren aangekomen. Het kanon stond er werkeloos bij, de enorme loop gericht op de riviermonding die volgestroomd was met mist. De mannen die het kanon bedienden kropen weg toen de piratenleider, met de parang in zijn hand, op ze toeliep.

'Vuur dan toch, stommelingen!' riep hij.

'Het doel is niet zichtbaar, meester', zei de van angst bevende hoofdschutter. 'De mannen denken dat het een spookschip is. Geesten die wraak komen nemen!'

Becca maakte in gedachten een rekensom. Het kanon van Sheng-Fat was ongeveer van hetzelfde kaliber als het kanon op het schip.

'Ik zei VUUR!' schreeuwde Sheng-Fat.

Op dat moment vuurde de Expedient weer een salvo af.

'Daar ligt je doel. Richt op de vuurmond!'

'De loop zakt niet lager dan zo!' riep Chung-Fat met verwrongen stem. Hij schopte tegen de affuit.

VOOR- EN ACHTERLADERS

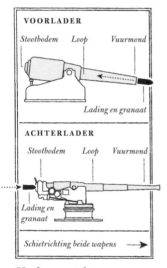

Het kanon op het poortgebouw was een voorlader, en die was veel trager dan achterladers op de Expedient.

'Rustig, broer.' Sheng-Fat kneep zijn ogen tot spleetjes. 'Het schip is het fort al veel te dicht genaderd.' Hij keek naar de geschutsstelling die kort ervoor door Xu en Xi verwoest was. Vlammen dansten op de maat van ontploffende ammunitie. 'Ze hebben ook mensen op het eiland. Die luie honden in de riviermonding zullen het ze betaald zetten.'

Een zoveelste salvo gierde in de richting van het fort en deed de stenen onder Becca's voeten trillen. Maar de Expedient was inmiddels zó dichtbij dat het kanon, zelfs hoog opgericht, alleen de voet van het poortgebouw kon raken. Een fractie van een seconde was de boeg van het schip zichtbaar toen de granaten zich door de mantel van dikke mist boorden. Daarna sloot de mist zich weer op zeer onnatuurlijke wijze.

'Hoe groot is dat schip? Ik kan de vijand niet zien!' krijste Chung-Fat.

'Ik ook niet, broer. De kanonnen zijn van een zeer zwaar kaliber.'

De Expedient staakte het vuren en de beschermende mistbank trok op. De mistgenerator was uitgeschakeld.

Een lichtkogel schoot omhoog vanaf de stuurhut. De gehele riviermonding was helder verlicht terwijl de patroon langzaam terugviel naar de aarde. Het majestueuze schip baadde in het felle licht, van boeg tot achtersteven mat zwart geschilderd. Er ging een dreigende kracht van uit, de kanonslopen hoog opgeheven, klaar voor het volgende granaatsalvo.

De stem van de kapitein klonk op, via een luidspreker. 'Geef het eiland op, Sheng-Fat. Zo niet, dan ben ik genoodzaakt jou en je fort van de aardbodem te vagen.'

Sheng-Fat haalde de rug van zijn hand langs zijn mond, starend naar deze eigenaardige tegenstander.

'Het is inderdaad kapitein Fitzroy MacKenzie', mompelde Linnen Pak in zichzelf 'Dus het gilde heeft me gevonden.'

'Ga je nog antwoord geven, broer?' vroeg Chung-Fat.

'Antwoord geven?' schreeuwde Sheng-Fat. '*Antwoord geven!?* Tegen de tijd dat het ochtend is zal ik zijn hoofd op een paal hebben gespietst!'

'Ja, broer.'

'Zou dat schip niet een geweldige aanwinst zijn, Sheng?' stelde Linnen Pak voor. 'Het zou een prachtig vlaggenschip zijn voor je nieuwe vloot.'

Sheng-Fat overwoog die woorden. 'We zullen het schip insluiten. Ik wil dat geschut hebben.'

Hij pakte de hoorn van een veldtelefoon op en begon de hendel woest rond te draaien. 'Trek de drakentanden op!' schreeuwde hij. 'Maak jullie gereed om het hulpgeschut af te vuren, maar breng het schip niet tot zinken!' Hij wendde zich tot Chung-Fat. 'Ga naar de haven en hou je gereed om het schip te enteren met de jonken.'

Becca keek vol schrik toe hoe het water begon te koken. Enorme ijzeren staken verrezen in een halve cirkel uit het water en sloten de Expedient op in de riviermonding.

De drakentanden.

Hoofdstuk 14

Xu, Xi, Liberty en Doug hadden een pad gevonden aan de achterzijde van het fort en renden naar de eerste van de drie bressen in de muur. De aanval van de kapitein was een minuut of tien bezig en de helft van Sheng-Fats mannen – ongeveer honderdvijftig piraten – was op weg naar de haven om daar in hun jonken de tegenaanval in te zetten. In de verwarring die ontstond, leidde Liberty het groepje door het kreupelhout tot ze bij de brokstukken van de muur kwamen die aangaven dat daar de klim begon. Ze klauterden over het puin tot ze op een punt kwamen vanwaar ze de binnenzijde van het fort konden overzien. Onder hen lag de binnenplaats met de van bamboestokken opgetrokken huisjes, verlicht door fakkels en kampvuurtjes.

'Ik hoop maar dat je oom weet waar hij aan begonnen is', zei Liberty. Ze keek naar de mannen van Sheng-Fat. 'Die zijn gekker dan mijn tante Bessie!'

'De invasiegroep', fluisterde Xu. Hij wees naar een rij figuren die zich een weg baande door het kreupelhout. 'De Sujing Quantou. Ze gaan naar de tweede bres.'

'Tjonge, ben ik even blij dat ze er zijn. Kom, we gaan ook die kant op.' Liberty begon naar de tweede bres te lopen. De invasiegroep telde zestien leden. Elf Sujing-strijders liepen voorop, vijf bemanningsleden van de Expedient kwamen er achteraan. Toen ze dichterbij kwamen, vouwde Xi zijn handen tot een geluidsversterker. 'Cha!' riep hij. De groep hield onmiddellijk halt en verdween in de schaduwen van de ruïne.

'Cha!' riep Xi nog eens.

'Sujing Quantou!' riep de leider. Hij gebaarde zijn manschappen voorwaarts. Meester Aa's massieve gestalte dook op. 'Xi? Maar…? Jij hoort in Shanghai te zijn! Xu? Jij ook? En wie zijn de anderen?'

'Liberty da Vine, aangenaam', zei de Amerikaanse. 'Vliegenierster en sinds kort voormalig gevangene. O ja, dit hier is Doug MacKenzie, een heel verre neef.'

'Liberty!' riep Chambois. Hij rende op haar af. 'Mijn god! Je leeft! Ik ben speciaal voor jou teruggekomen.'

'Goh, bedankt', zei Liberty droogjes. 'Fijn dat je er eindelijk bent.'

'Maar ik dacht dat je dood was!'

'Nee hoor. Ik ben springlevend, maar niet dankzij jou.'

Chambois zag het verband. 'Je hand. Heeft hij je vinger?'

'Ja. Weet je dan niet dat je op dit eiland altijd tien procent korting krijgt op een manicure?'

'D-D-Doug!' Vanuit de groep sprak een bekende stem.

'Charlie!'

'Jij zou eigenlijk onderweg moeten zijn naar S-S-San Francisco.'

'We liepen tegen een probleempje aan.'

'We? Waar is je zuster?'

'Ik hoop ergens daarbinnen.' Doug wees naar het fort. Een salvo deed de rotsen trillen, ze krompen allemaal in elkaar. 'Frankie! Schrokop Swa! Ives!'

'Wat is dat toch met jou, Doug?' vroeg Ives. Hij kwam op adem en verschoof zijn zware rugzak wat. 'Als ergens iets mis gaat, zie ik jou. De kapitein gaat je de oren wassen, dat is een ding dat zeker is.'

'Meester, we hebben belangrijke informatie die de missie zal doen slagen', zei Xu.

'De missie zal doen slagen?'

Liberty kwam naar voren. 'Jawel. Jullie kapitein daar beneden kan geen kant op. Het is hem dan wel gelukt de riviermonding op te varen, maar er ligt daar een halve cirkel met ijzeren staken op de zeebodem, dus zijn schip komt nooit meer weg. De punten zullen de kiel kapotscheuren.'

'We kunnen de Expedient niet meer waarschuwen', zei meester Aa. 'En wij moeten de torpedo's vernietigen.'

'Ik zou denken dat die staken topprioriteit hebben', zei Liberty. 'Wat heeft het voor zin die torpedo's te vernietigen voor we de kaapstander onklaar gemaakt hebben? Anders komen we hier niet weg.'

'Kun jij ons die kaapstander wijzen?'

'Ik kan het proberen. De ruimte waar hij staat, is niet ver van de torpedo-opslag, diep in het onderaardse gangenstelsel.'

'We moeten Becca ook nog bevrijden', zei Doug. 'Ze moet ergens in het fort zijn. We zagen dat ze weggehaald werd uit de getijdekooi.'

'Dit had een snelle actie moeten zijn', zei meester Aa. 'Het zoeken naar het meisje kan dat in gevaar brengen. We gaan eerst naar de kaapstanderruimte en dan gaan we op zoek naar de torpedo's. Als er nog tijd is, zoeken we je zuster. We zijn al aan de late kant.'

'Ik laat Becca hier niet achter', hield Doug aan. 'Desnoods ga ik in mijn eentje op zoek.'

'Onderweg naar de kaapstander komen we langs de cellen', zei Liberty. 'Misschien zit Becca daar en als we de andere gevangenen vrijlaten, zijn we met meer. Hoe meer zielen, hoe meer kans van slagen deze waanzinactie heeft.'

'De gevangenen zullen ons hinderen', zei meester Aa.

'Hé, dit fort bestormen is sowieso een kamikazeactie', wierp Liberty tegen. 'We moeten toch de bewakers van de torpedo-opslag daar beneden uitschakelen, dus wat is het nou voor extra moeite om de gevangenen te bevrijden?'

Doug zag dat de Sujing Quantou-strijders zich opmaakten voor de aanval. Ze trokken allemaal een zilveren discus met een diameter van ongeveer vijftien centimeter uit hun overkleden. Heel nauwkeurig verschoven ze een paar knoppen in het midden van de discus en gaven meester Aa met een hoofdknik aan dat ze gereed waren.

'De afdeling Oost van de Sujing Quantou heeft in twintig jaar tijd niet zo'n grote operatie ondernomen', zei Xi opgewonden.

'Zeggen ze ook wel eens iets?' vroeg Doug.

'Nooit. Uitsluitend onze leider, meester Aa, spreekt tijdens een aanval.'

'Maar jij en Xu praten wel.'

'Wij moeten nog slagen voor de Khotan-beproeving. Een echte Sujing Quantou-strijder zwijgt tijdens een gevecht. Spreken betekent een gebrek aan respect voor onze tradities.'

'Hoe dat zo?'

'Wij worden getraind als verkenners, wij vormen de verkenningstroepen van het grote leger uit het westen. Hoe kun je de vijand horen als je praat? Bovendien vergroot stilte de dreiging die er van ons uitgaat.'

Doug bekeek de rij zwijgende, zwaar bewapende strijders en ontkwam niet aan de indruk dat ze in een grootse, eeuwenoude traditie stonden. Wie en wat ze waren, bleef raadselachtig. Er waren vijf vrouwen bij. Ze droegen geen vuurwapens, maar in schedes op hun rug zaten twee vechtzwaarden en aan hun riem hing een korte dolk. Tussen de beide schedes bevond zich een klein kistje van bamboe. Hun helmen waren groot en rijk bewerkt, met omlaaggebogen horens en versierd metaal-

Wapentuigen, vechttechnieken

en geschiedenis van de

Sujing Quantou

VERTROUWELIJK MATERIAAL

Geschikt voor publicatie

werk. Lichte bepantsering bedekte hun dijbenen en bovenlichaam en onder kruiselings vastgemaakte riemen op hun
borst zaten nog een aantal discussen.

'Waar komen de Sujing Quantou vandaan, Xi?'

Xi lachte. 'Het grote leger voorbij de bergen in het westen.'

'Welk leger? Welke bergen? Is Shanghai niet jullie thuisbasis?'

'De thuisbasis van de Sujing Quantou ligt hier.' Xi sloeg zich
op zijn borst.

'Jawel, maar waar komen jullie...'

'Gereedmaken voor de aanval', sommeerde meester Aa.

'We moeten ons bij de rest voegen', zei Xu. 'Hou je hoofd
erbij en raak geen vingers kwijt.' De tweeling glipte weg, en
volgde de Sujing-strijders naar de rand van de muur.

Doug liep naar de plek waar de bemanning van de Expedient zat, een paar meter lager. Nu pas zag hij hoe zwaar bewapend ze waren. Sjieke Charlie had twee Purdey-geweren bij
zich en de anderen een complete verzameling kortelassen,
geweren en pistolen.

'Jij blijf in de buurt, begrepen?' zei Ives. 'We gaan achter de
Sujing Quantou aan. Meester Aa voert het bevel en wij gaan de
torpedo's vernietigen, onder leiding van monsieur Chambois.'

'Ja, meneer Ives.'

'We gaan nu geen keet trappen. Ga naar Chambois.'

Plotseling werd de omgeving hel verlicht door een lichtkogel die vanaf de Expedient werd afgevuurd en de versterkte
stem van de kapitein weergalmde in de nacht.

'Precies op tijd', fluisterde Sjieke Charlie. 'De kapitein
vraagt Sheng-Fat om zich o-o-o...'

'Over te geven?' maakte Doug zijn zin af.

'Ja', zei Charlie. De lichtkogel doofde. 'Dat was het teken.'

Chambois kroop naar voren om de binnenplaats beter te kunnen overzien. 'De ingang tot het gangenstelsel bevindt zich in die ingestorte toren.'

Meester Aa gaf een bevel en de strijders gingen gereedstaan met hun discus. Als één man draaiden ze hun bovenlichaam naar achteren, strekten hun armen, draaiden terug en wierpen de discussen onder het roepen van 'Sujing Cha!' in de richting van de binnenplaats. De metalen werktuigen vlogen door de lucht, rap en dodelijk, met een vreemd vibrerend gezoem. Ze landden in een rechte lijn en ontploften onmiddellijk, waardoor de binnenplaats zich vulde met dikke rook.

Meester Aa gebaarde naar de invasiegroep en die klom over het puin omlaag, in de richting van de toren. Doug rende mee, zij aan zij met Chambois, in wiens blik een mengeling van opwinding en vrees lag. Doug voelde zich een beetje misselijk, maar de gedachte aan Becca en de meedogenloze Sheng-Fat dreef hem voort.

'Hoe bent u hier gekomen? Ik bedoel, de rivier op, vóór de Expedient aankwam?' wist Doug al hijgend uit te brengen.

'De Galacia', antwoordde Chambois. 'Die ligt stroomopwaarts in de rivier.'

Ze sprongen via kapotte traptreden de toren in en bleven daar even staan, happend naar adem.

De eerste ruimte was een soort ontvangsthal, waar jutezakken vol rottende rijst opgestapeld lagen. Ives liet de lichtbundel van zijn zaklamp door de ruimte gaan. De ogen van verschrikt wegvluchtende ratten lichtten rood op. Hij liet het licht rusten op een trap die omlaag liep, een duister ondergronds gangenstelsel in. Doug vond het op een verlaten mijnschacht lijken; er was geen sprankje licht te bekennen, het was er duister en het stonk naar verstopte leidingen. Moesten ze echt omlaag?

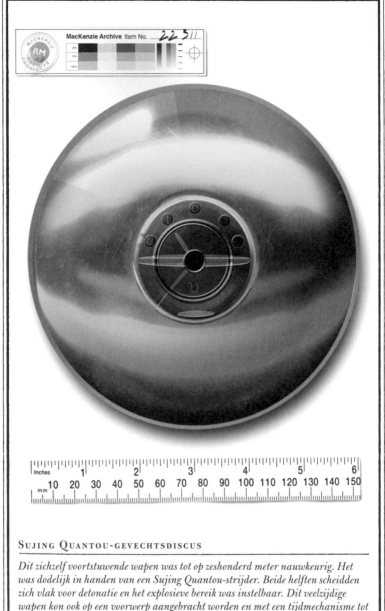

Sujing Quantou-gevechtsdiscus

Dit zichzelf voortstuwende wapen was tot op zeshonderd meter nauwkeurig. Het was dodelijk in handen van een Sujing Quantou-strijder. Beide helften scheidden zich vlak voor detonatie en het explosieve bereik was instelbaar. Dit veelzijdige wapen kon ook op een voorwerp aangebracht worden en met een tijdmechanisme tot ontploffing worden gebracht, of dienen als eenvoudige rookbom.
(Zie ook de uitvouwkaart op bladzijde 193.)

'Monsieur Chambois, ik complimenteer u', zei meester Aa, terwijl hij de ingang goed in zich opnam. Hij trok in een enkele sierlijke beweging eerst het ene en daarna het tweede zwaard uit de schedes op zijn rug.

'Hé, Chambois', fluisterde Liberty. 'Het is niet fijn om hier weer terug te zijn, hè? Hoe veel vingers gaat hij afhakken als hij je dit keer te pakken krijgt?'

'Kunnen we het over iets anders hebben?'

Meester Aa daalde de traptreden af en sprong op de tunnelvloer. Doug keek vol belangstelling toe hoe de Sujing-strijders een lamp op hun helm ontstaken. De lampen sisten en rookten, en wierpen langwerpige bundels licht op de omgeving. Een voor een trokken ze hun zwaarden en lieten zich in de tunnel zakken. Doug volgde Chambois en de anderen. De stinkende tunnel maakte een bocht, liep nog een stuk omlaag over drie traptreden die bezaaid waren met rotzooi en rattenkeutels en werd toen breder.

'Meester Aa, linksaf bij de volgende splitsing', riep Chambois.

De Fransman leidde ze een nieuwere, bredere tunnel in die verlicht werd door elektrische lampen. Doug zweette flink, hij verwachtte elk moment Sheng-Fat tegen het lijf te lopen.

'We moeten nog verder afdalen en dichter bij de riviermonding uit zien te komen', zei Chambois. Hij wreef zijn voorhoofd droog met een zakdoek. 'Daarom gaan we nu naar rechts.'

Zwijgend liepen ze in een lange rij verder. Terwijl ze dieper en dieper kwamen, merkte Doug dat de lucht vochtiger werd en de stank toenam. Deze gangen leken weer ouder te zijn, en hij kokhalsde toen hij over een rottende onderarm heen stapte, die aangevreten was door de ratten. Snel keek hij weg, maar zag in de gauwigheid nog net hoe de hand een pink miste. Hij gaf een kreet van afschuw. Frankie schoof de arm met een voet opzij en zei hem er niet naar te kijken.

'We zijn er bijna', zei Chambois.

'Stilte!' beval meester Aa. Hij stak zijn hand omhoog als stopteken. Hij luisterde aandachtig, ging op zijn hurken zitten en legde een hand op de vloer. Doug zag zijn lippen bewegen. Zat hij te tellen? 'Snel! De vijand is niet ver weg. Deze kant op.'

Het geluid van naderende voetstappen maakte Doug heel zenuwachtig. Ze doken met z'n allen een lage zijgang in en drukten zich met ingehouden adem tegen de vochtige wand. De Sujing Quantou schoven schermpjes voor hun lampjes en hielden hun zwaarden paraat.

Meester Aa timede zijn aanval met een kille precisie. Hij stak zijn zwaard naar voren zodat de eerste bewaker er in liep, sprong uit de zijgang en stak een tweede bewaker in zijn buik. Beide piraten zakten op de grond. Dood.

'Sleep de lichamen de zijgang in. Snel. We hebben geen tijd te verliezen.'

Liberty pakte haastig de donderbus van een van de dode mannen van de grond op. De twee lopen waren half zo lang als van een normaal geweer en liepen wijd uit, als trompetten. Ze haalde ook de zakjes met buskruit en kogels van zijn riem. Daarna inspecteerde ze het wapen.

'Die hoort in een museum thuis', zei Frankie.

'Ik vind het wel een mooi ding', zei Liberty. Ze woog het geweer in haar handen.

'Als je beide lopen afzaagt, heb je een schootsveld om vernielingen aan te richten dat veel effectiever is dan wat er uit je mond komt', mompelde Chambois voor zich uit.

Toen de lichamen verborgen waren, zette meester Aa de tocht voort. Iedereen stond op scherp na de korte schermutse-

ling. Xi en Xu hadden geen woord gezegd sinds het begin van
de actie. Ze liepen achter de strijders aan en keerden zich niet
één keer om naar Doug. Ze liepen haastig naar een volgende
bocht, waar ze hun weg versperd vonden door een deur met
een getralied raam.

Doug kokhalsde. De stank was afgrijselijk: rioolgeur meng-
de zich met een scherpe bitterzoete geur die hem in zijn keel
haakte.

'We zijn vlakbij de cellen', fluisterde Chambois, die Dougs
walging aanvoelde. 'Het duurt niet lang meer voor we uit dit
maniakale paradijs zijn.'

Uit Dougs schetsboek. (DMS 2/31)

Doug wist dat Chambois niet geloofde dat het zo eenvoudig zou zijn; zijn stem had hem verraden. Zijn woorden waren nauwelijks weggestorven of de deur vloog open en een morsige bewaker kwam de gang in, met zijn geweer in de aanslag. Meester Aa gaf hem een trap. Het geweer vloog door de lucht en hij doodde de bewaker met twee snelle zwaardstoten.

'Sheng-Fats mannen mogen dan schepen kunnen enteren', zei de Sujing-leider, 'vechten kunnen ze niet.'

Chambois kwam naar voren en trok de sleutels van de riem van de bewaker. Het gezicht van de Fransman was roodaangelopen van woede. 'Dit was de wreedste bewaker van allemaal. Hij heeft de sleutels van alle cellen.'

Het geluid van hun stemmen had de gevangenen achter de vergrendelde traliedeuren in beweging gebracht. Vol afschuw zag Doug dat slordig verbonden handen tussen de tralies doorgestoken werden en van alle kanten kwamen klagende, zwakke stemmen. 'Haal ons hier uit', hoorde hij. 'Maak een einde aan deze ellende.' Alle gevangenen misten hun pink.

'Becca!' riep Doug. 'Becca! Waar zit je?' Hij holde langs de traliedeuren, maar hij kreeg geen antwoord. 'Ze moet nog bovengronds zijn', hijgde hij wanhopig. 'We moeten haar vinden!'

'Het geheim van het zonnedochter is belangrijker dan het leven van je zuster', sprak meester Aa resoluut.

Chambois ontgrendelde deur na deur en de gevangen stroomden de smalle gang in.

'Denkt u dat dit haveloze zootje in staat is te vechten, juffrouw Liberty?' vroeg meester Aa.

'Wat bent u voor een beest? Wilt u ze hier opgesloten laten zitten terwijl u de boel opblaast? Ik heb hier vrienden zitten!'

'Hoe veel zijn het er eigenlijk?' vroeg Ives, die ze probeerde te tellen.

'Ongeveer twintig. Er zijn er bij die er niet meer helemaal bij zijn, dat kan ik u wel ver…' Liberty zweeg abrupt toen een groepje gevangenen uit een cel strompelde. 'De jongeren zijn er minder erg aan toe. Ze haten Sheng-Fat. Zij zullen vechten.'

'We kunnen ze niet meenemen', zei meester Aa.

Liberty bekeek de gevangenen en dacht na. Ze waren er vreselijk aan toe. Hun kleren waren vuil en haveloos, ze waren overdekt met zweren en ze hoestten.

'Oké baas, daar zit wat in. Laat ze hier bij mij. Ik haal ze hier weg en probeer bij het schip te komen. Maar als jullie eerder bij het schip aankomen, heb dan niet het lef zonder mij te vertrekken!'

'Dat is een verstandig plan.'

'Nou ja, dat moeten we nog zien', zei ze.

'Juffrouw Liberty, dat wapen, is dat uw enige wapen?'

'Ja. Wat is daarmee?'

Meester Aa haalde een kleine buidel, gemaakt van zijde, uit zijn bovenkleding en gaf die aan haar. 'Vermeng een snufje van dit goedje met het buskruit en vergewis u ervan dat uw vrienden achter u staan als u de donderbus afvuurt. We zien elkaar op het schip.'

'De kaapstanderruimte is die kant op. Hou links aan bij de volgende splitsing. Het is ongeveer driehonderd meter lopen.'

Liberty liet het daarbij. Ze draaide zich om en gaf met een gebaar te kennen dat de gevangen haar moesten volgen. De wanordelijke optocht kwam in gelid en schuifelde weg. Het was een ijselijke vertoning. Maar Doug zag een glimlach op enkele gezichten en zo her en der een glimpje hoop in diepliggende ogen.

'Er zit me iets dwars, Charlie', zei Ives. 'Het gaat te gemakkelijk. En als dingen te gesmeerd lopen, krijg ik kriebels aan mijn neus. Momenteel is het of er een konijnenstaart in mijn gezicht kwispelt.'

'Als ik onder vuur lig, stotter ik niet langer. Vreemd, niet?' antwoordde Charlie.

De tunnel schudde op zijn grondvesten, en iets later volgde een diep gedonder. Vijftig meter achter hen stortte de tunnel in en een stofwolk rolde op hen af.

'De kanonnen van de Expedient nemen de fundering van het fort onder vuur', riep meester Aa. 'Het hele bouwwerk staat op instorten.'

Doug keek naar de versperde doorgang. 'Was dat onze ontsnappingsroute?' vroeg hij.

'Nu niet meer', grimlachte Charlie.

HOOFDSTUK 15

'Kijk eens goed naar je oom daar beneden.' Linnen Pak duwde Becca naar het randje van de muur. 'Toe dan. Kijk eens goed naar het Edelhoogachtbare Gilde van Specialisten. Ze hebben hun leven sinds 1533 geofferd aan een doel en nog steeds hebben ze geen flauw idee van het werkelijke wezen van de Indus-raadselen.'

Becca deinsde achteruit, weg van de gevaarlijke afgrond. 'Ik begrijp het niet! Ik weet niet waar je het over hebt.'

'Ineens schiet je naam me te binnen. Rebecca, is het toch? Welnu Rebecca, ik heb in de afgelopen zes jaar meer ontdekt dan het gilde in de afgelopen vier eeuwen.' Linnen Pak glimlachte leep. De uitdrukking op zijn gezicht schoot heen en weer tussen opwinding en krankzinnigheid. Hij veegde het zweet uit zijn snor en draaide zijn hoofd tot zijn wang kwam te rusten tegen het steenwerk. Zijn blik was gericht op de Expedient. 'Ik kom steeds dichterbij. Ja. En Fitzroy weet dat. Als jouw vader niet plotseling was opgedoken, had ik de kapitein vier jaar geleden in Zanzibar vermoord. Ik had hem uit de weg willen ruimen. Dat had me geen enkele moeite gekost.'

'De jonken zijn klaar voor de aanval', schreeuwde Sheng-Fat. Hij pakte de hoorn van de veldtelefoon en schreeuwde bevelen door. 'Hulpartillerie, open op mijn bevel dekkingsvuur als de jonken zover zijn. Breng het schip niet tot zinken, maak het onklaar. Open het vuur!'

Vier kanonnen begonnen onmiddellijk te vuren vanuit de verborgen geschutstellingen langs de riviermonding. Waterfonteinen spoten op toen de granaten ontploften naast het schip. Een tweede salvo werd afgevuurd, en nu was het raak.

Een granaat kwam terecht achter de brug van de Expedient. De radiohut vloog met een enorme knal de lucht in.

'Bougie!' riep Becca. Ze zag hem in gedachten achter zijn apparatuur zitten. Toen zag ze de boeg draaien, alsof de stuurman het roer plotseling had losgelaten.

'Niet tot zinken brengen zei ik toch!' schreeuwde Sheng-Fat in de veldtelefoon.

De Expedient was stuurloos en ten prooi aan de stroming. Maar dit was niet de open zee, de vaargeul in de rivier was heel smal. De achtersteven boorde zich in een slikbank en de schroef raakte een van de ijzeren spaken, waardoor hij vastliep.

'Stuur dan toch!' riep Becca. Ze hoopte dat er in de stuurhut nog iemand bij kennis was. De Expedient lag even roerloos en begon toen te draaien als de wijzer van een klok. De stroming trok haar boeg naar bakboordzijde en die liep ook vast op een slikbank. Het vaartuig had een draai van negentig graden gemaakt en lag nu dwars op de rivier.

De rook rond de stuurhut trok op. De radiohut was verdwenen. Een eenzame figuur was bezig het vuur te doven met een brandspuit.

VELDTELEFOON

Dit is de veldtelefoon die Sheng-Fat gebruikte tijdens de verdediging van de riviermonding.

Becca keek met grote ogen toe, haar mond wijd open van afschuw. Een van de kanonnen aan boord van het schip richtte zich op en draaide in de richting van het poortgebouw, maar kon net niet ver genoeg draaien om te richten. De twaalfponder op de achtersteven werd ingezet in de strijd tegen de hulpartillerie van Sheng-Fat. Op dat moment kwam de eerste jonk achter de havenmuur vandaan en koerste recht op het vastgelopen schip af.

❖

'We zijn er, dit is de kaapstanderruimte!' riep Chambois. Hij liep op een grote, met stalen nagels afgewerkte deur af. Doug bleef wat achter. Was het een val? Stond Sheng-Fat achter die deur, met honderd zwaarbewapende mannen? Tot nu toe was er verbazingwekkend weinig tegenstand geweest.

'Xi en Xu, jullie gaan met monsieur Chambois op de uitkijk staan in de tunnel', beval meester Aa. 'Mister Ives, u en uw mannen geven ons dekking. Wij gaan de deur uit zijn hengsels blazen.'

Doug keek om de hoek om alles beter te kunnen zien, en hij stond klaar om weg te rennen.

De Sujing-strijders bevestigden vier discussen op de deur met behulp van stopverf. Ze verbonden de vier schijven met één detonatiekoord, dat ze aan meester Aa gaven. Hij gaf een teken en de Sujing Quantou trokken het vizier van hun helmen omlaag, terwijl ze een paar passen achteruit deden.

'Klaar', zei meester Aa.

Xu kwam op Doug af en schreeuwde: 'Er ligt zonnedochter achter die deur. Wend je af! Bedek je ogen!'

Meester Aa trok aan het koord en de deur spatte met een helle blauw-witte explosie aan stukken. Met de strijdkreet 'Sujing Cha!' stormden de strijders de ruimte in. Van binnen klonken kreten van verdwaasde bewakers toen de Sujing Quantou met hun uitmuntende zwaardtechnieken de controle over de ruimte veiligstelden.

'Mister Ives!' brulde meester Aa. 'Iedereen naar binnen!'

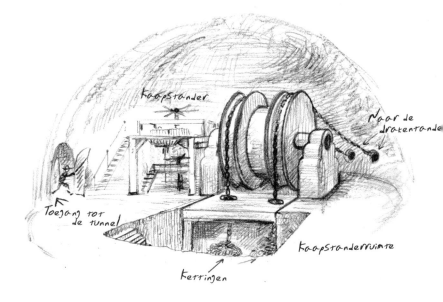

Uit Dougs schetsboek: De kaapstanderruimte. (DMS 2/35)

Doug rende langs de rokende deur en kwam al glijdend tot stilstand. De vloer was bedekt met los gruis. De kaapstanderruimte was een enorme grot met een gewelfde zoldering die uit een massieve rots gehouwen was. De ruimte werd gedomineerd door een groot kaapstandermechanisme dat de drakentanden in de riviermonding aanstuurde. Vlak voor hem verdwenen twee dikke ijzeren kettingen in openingen in de wand. De schakels hadden de omvang van zijn bovenarmen.

'Met de katrol worden de kettingen ingehaald', riep Doug tijdens zijn inspectie van het mechanisme.

'Meester Aa, met twee explosieve ladingen kan het mechanisme onklaar gemaakt worden', zei Chambois.

De leider van de Sujing gebaarde met zijn handen en zijn zwijgende kameraden plaatsten op de plekken die Chambois aangaf hun discussen. Toen dat gebeurd was, klommen meester Aa en de strijders van de kaapstander af en liepen haastig naar de deur.

'We hebben het tijdmechanisme ingeschakeld. We hebben dertig seconden de tijd. Iedereen moet onmiddellijk de ruimte verlaten', sommeerde meester Aa.

'Schiet op, Doug', riep Ives. 'Dat ding gaat zo ontploffen! 'Frankie! Schrokop Swa! Wegwezen! Chambois, op jou rust de taak de torpedo's te vinden. Daarna maken we dat we hier wegkomen.'

'Als ik het goed heb, moeten we terug naar de splitsing en als we dan een scherpe draai maken komen we bij de torpedo-opslag uit', zei Chambois.

De kaapstanderruimte explodeerde. Ze hoorden en voelden de uiteengereten kettingen door de kokers naar de riviermonding ratelen.

Chambois begon te hollen. 'Deze kant op', maande hij, toen ze bij de splitsing aankwamen. Maar er klonk onzekerheid door in zijn stem.

Deze nieuwe tunnel kwam Doug vreemd voor. 'Hoe staat het met uw neus, mister Ives?' vroeg hij.

'Jeuk. Heel erge jeuk.'

'Hoe gaan jullie de torpedo's opblazen?' vroeg Doug aan Charlie.

'Het plan is om ze op scherp te zetten door de molecuul-versterkers in te schakelen en ze daarna tot ontploffing te brengen door middel van een explosief met een tijdmechanisme. De explosie zou het poortgebouw moeten doen instorten, inclusief dat grote kanon dat Sheng-Fat zo graag op ons af wil vuren. Dan is onze aftocht veilig. De kapitein wist natuurlijk niets over jullie kleine verkenningsbrigade, dus nu is het allemaal, eh… nogal gecompliceerd geworden.'

Plotseling klapte een massief ijzeren deur tegen de grond, vlak voor hen, en ze werden overspoeld door een lading zand en stof. De Sujing-strijders die voorop liepen, hielden halt. Door hun lampen, die door de stofwolk priemden, leken ze op zwart-wit silhouetten die Doug deden denken aan een schimmenspel dat hij eens in Lucknow gezien had.

Doug was doodsbang; hij verwachtte elk moment een wraakzuchtige Sheng-Fat. Die zou nu door de explosie in de kaapstanderruimte weten waar ze zich bevonden. De stem van meester Aa sneed dwars door zijn angst heen, en hij zei nou net wat Doug niet wilde horen: 'Terug naar de kaapstanderruimte! Nu!'

Ze keerden terug op hun schreden tot ze bij een splitsing uitkwamen. Chambois bleef even staan.

'Welke kant op?' vroeg Ives.

De Fransman aarzelde een moment, de wetenschapper in hem wilde er niet zomaar een slag naar slaan.

'We hebben weinig tijd. Kies een kant!' riep Sjieke Charlie.

'Dan gaan we naar rechts', mompelde Chambois zonder al te veel overtuiging.

Ze liepen verder. De Sujing-strijders met getrokken zwaarden. Tot ze aankwamen bij een waterdichte stalen deur. Die aanblik stond Doug helemaal niet aan. Terwijl Ives en meester Aa de deur onderzochten, zakte achter hen een tweede deur omlaag.

CHAMBOIS' KAART VAN HET GANGENSTELSEL

Chambois gebruikte deze ruwe schets tijdens de tocht door het gangenstelsel. Het is interessant om deze schets te vergelijken met de uitgewerkte tekening in aanhangsel 5. Dan wordt duidelijk dat Chambois vele verkeerde beslissingen nam en de omvang en complexiteit van het gangenstelsel onderschatte.

'We zitten in de val!' riep Doug.

Meester Aa haalde een discus onder zijn riem vandaan en draaide aan de knoppen. Daarna bevestigde hij hem aan de onderzijde van de deur. 'Ga zo ver mogelijk naar achteren.'

'Doe je mond dicht en bedek je ogen', zei Xi. Hij trok Doug achter zich. Een paar seconden later volgde een doffe knal die ze overdekte met gruis en hun oren deed tuiten. Maar de deur was niet vernield.

'We zijn aan alle kanten ingesloten. Ik wist wel dat Sheng-Fat ons niet zomaar zou laten ontsnappen', zei Doug.

Chambois sloeg met zijn vuisten tegen de deur. 'Hij weet dat we hier zitten. Het is nu een kwestie van tijd.'

Uit een buis in het plafond begon water te druppelen. Het gedruppel veranderde in een straal en vervolgens in een stortvloed. Binnen enkele seconden steeg het water in de afgesloten ruimte verontrustend.

'Nog meer trucjes', zei Sjieke Charlie, toen een tweede waterstraal hem van de voeten veegde alsof hij een beginnende kunstschaatser was.

'Er moet ergens een afsluiter zijn om de waterstroom te stuiten!' riep Chambois wanhopig.

Het ijskoude water stond al hoog genoeg om in te zwemmen en terwijl Dougs voeten loskwamen van de vloer probeerde hij te berekenen hoe veel tijd ze nog hadden voor het water de zoldering zou bereiken en ze allemaal zouden verdrinken.

HOOFDSTUK 16

Terwijl de jonken van Sheng-Fat op de vastgelopen Expedient afkoersten, verkneukelde de piratenleider zich op de op handen zijnde overwinning. Linnen Pak stak een sigaar op en hoewel hij duidelijk opgewonden was, zat hij aan de achterzijde van het grote kanon, waar hij niets kon zien. Becca tuurde in de diepte, ze hoopte een glimp van de kapitein op te vangen.

De slag was niet helemaal naar de zin van Sheng-Fat verlopen. Kort nadat de verborgen geschutsstellingen het vuur hadden geopend, beantwoordde het kanon op het achterdek van de Expedient het vuur en waren alle stellingen verwoest. Er woedden vijf branden langs de riviermonding. Zo nu en dan ontplofte er een granaat. Hoewel het schip twee torpedo's aan boord had, lag het op een dusdanige manier vast in de slikbank dat het afvuren ervan onmogelijk was. Het achterdekkanon schoot een paar granaten af op de voorste jonk en de bemanning daarvan rende naar voren om de aanval te beantwoorden.

'Ik schrijf wel een tekst voor op zijn grafsteen', zei Linnen Pak. '*Fitzroy MacKenzie. Ontdekkingsreiziger. Kapitein. Omgekomen door zijn volharding en ijdelheid.* Was jouw moeder niet een zee-Dayak, Sheng?'

'Ja', antwoordde Sheng-Fat wantrouwend.

'Kun jij er dan niet voor zorgen dat zijn hoofd op eeuwenoude Sarawak-wijze gesneld en gedroogd wordt? Kan ik er een presse-papier van maken, als aandenken aan deze grootse overwinning op het gilde. En kun je ervoor zorgen dat hij glimlacht? Is dat mogelijk?'

'Ik zou dat met veel genoegen doen, mijn vriend.'

Het silhouet van de kapitein verscheen op het sloependek. De bemanning kwam achter hem aan, bewapend met geweren en kortelassen. Ze verzamelden zich in de stuurhut. Het leek erop dat ze zich daar tot de laatste snik wilden verdedigen.

Sheng-Fats jonk kwam langzij de Expedient. Onder het slaken van oorlogskreten bestormden de piraten het schip met bamboevalrepen en enterhaken. De bemanning van de Expedient verspreidde zich over het dek, nam positie in op de stuurhut, brug en het sloependek, en legde aan.

'Vuur!' bulderde de kapitein. Een spervuur van geweer- en pistoolschoten rolde over de riviermonding en maaide de eerste aanvalsgolf van de piraten neer. Maar de bemanning kon niet snel genoeg herladen om de opmars te stuiten. Toen een tweede en derde jonk het schip enterden, moest kapitein MacKenzie de krachten bundelen rondom de stuurhut.

De slag verliep snel. Aangespoord door Chung-Fat zwermden de piraten over het dek en begonnen de brug te beklimmen. De bemanning hield ze af, maar ze zouden hun positie niet kunnen behouden. Becca durfde nauwelijks te kijken. De piraten krioelden nu over de gehele lengte van het schip. Ongeveer twintig piraten lieten zich door het luik op het achterdek in de buik van het schip zakken.

Toen klonk er een diep gerommel. De drakentanden verdwenen in het kolkende water.

'De drakentanden!' riep Becca. 'Het is ze gelukt!'

'Maar ze hoeven niet te denken dat ik gek ben!' schreeuwde Sheng-Fat. Hij schoof de hoofdartillerist aan de kant, greep het detonatiekoord vast en rukte er uit alle macht aan. De vuurmond spuwde een granaat met zo'n kracht de lucht in dat de grond onder Becca's voeten schudde en het poortgebouw kreunde. De granaat landde op ongeveer zestig meter afstand van de achtersteven van de Expedient in de slikbank.

De slag op de rivier kwam onmiddellijk tot stilstand.

'Nu ik hun aandacht getrokken heb, zal ik de kapitein het MacKenzie-meisje laten zien.' Sheng-Fat pakte Becca bij haar schouders en trok haar naar voren.

'Een wijze verandering van tactiek, Sheng. Zij is het geliefde nichtje en Fitzroy is nogal familieziek', spotte Linnen Pak.

Sheng-Fat keek Linnen Pak aan, plotseling wantrouwig. Hij gebaarde naar twee wachten. Die grepen Becca vast bij de polsen en na een knikje van hun leider zwaaiden ze haar over de kantelen en lieten haar in de lucht bungelen. Sheng trok een fakkel uit een houder in de muur en hield die naast haar, zodat ze duidelijk te zien zou zijn.

Becca's hoofd tolde en haar maag draaide zich om terwijl ze probeerde niet tegen te stribbelen, en toch hoorde ze de kapitein 'staakt het vuren' roepen. Een briesje vanaf de rivier ruiste in haar oren en een striemende pijn schoot door haar armen. Ze kneep haar ogen stevig dicht, ze wist dat er slechts ijle lucht en een enorme afgrond tussen haar en de vaste grond gaapte. Een stemmetje in haar hoofd herhaalde voortdurend dezelfde zin: *je gaat sterven, je gaat sterven*. Instinctief trappelde ze met haar benen, op zoek naar een plek om haar voeten neer te zetten, maar ze vond geen houvast.

Na wat een eeuwigheid leek, vouwde de piratenleider zijn handen om zijn mond en riep: 'Zie je dit meisje? Ze is een MacKenzie!'

'Ik zie haar', kwam het antwoord van de kapitein uit de verte.

'Geef het schip over en ik, piratenleider Sheng-Fat, zal bepalen wat er met jou en je bemanning gebeurt.'

De stem van de piratenleider weerkaatste tussen de rotsen langs de riviermonding.

Stilte. Becca voelde dat de wachten hun greep op haar polsen verloren. Blinde paniek flitste door haar heen. Boven het kloppen van haar hart uit hoorde ze het bevel van de kapitein. 'Mannen, we geven ons over.'

Sheng-Fat draaide zich abrupt om en zette zijn parang tegen de borst van Linnen Pak. 'Wat ben ik dom geweest! Jij kende de naam van die kapitein, die MacKenzie, maar je had hem nooit eerder gezien. Dat meisje heet ook MacKenzie en toch heb je niets gezegd over het schip. Je vertelt me veel te laat dat ze familie zijn. Dus nu begin ik te denken… Misschien heb jij die kinderen verteld op welke jonk ze moesten kruipen om op mijn eiland te geraken?'

'Wat een kletspraat, krijg de kolere', zei Linnen Pak.

'Die kinderen moesten het schip 's nachts naar binnen loodsen, nietwaar? Ja, jij hebt deze aanval op poten gezet, Engelsman. Waar of niet? Jij hebt je verschanst achter de kantelen, je bent weggekropen voor de granaten. Ik verdenk je ervan dat je me bedonderd hebt. En nu wil ik graag een antwoord, anders moet ik misschien wel twee koppen snellen. En hoe is de uitdrukking ook maar weer, Engelsman? *Twee hoofden zijn altijd beter dan één?*'

❖

Diep onder het fort stond het water inmiddels zo hoog dat er nauwelijks dertig centimeter ademruimte over was. Doug en de anderen zogen worstelend zo veel mogelijk lucht naar binnen. Doug zette zich schrap tegen de krachtige waterstroom uit de buizen door zich vast te klampen aan het ruwe rotsplafond. Hij klappertandde van de kou.

'Jullie discussen zijn onze laatste hoop', schreeuwde Ives hees. 'We moeten de ontploffing riskeren, want zo gaan we er allemaal aan!'

'Het zou...' Meester Aa werd afgekapt door de deur aan de andere kant van de tunnel die omhoog schoof met het geluid van een doodskreet van een dier. Het water gulpte door de opening heen en Doug werd meegesleept door de kracht van de vloed.

Hij kwam in een volgende ruimte terecht, botste tegen Xu en Xi aan en kreeg zijn voeten onder zich terwijl het water rond zijn knieën kolkte.

'Wij willen een eerlijk gevecht!' riep Xu. Hij sloeg boos met zijn vlakke hand op het water. 'Tegen deze waterval kunnen we niets uitrichten!'

De Sujing Quantou hadden zo niets aan hun wapens en hun lichaamskracht richtte niets uit tegen de kracht van het water. De enorme deur achter hen zakte weer omlaag. Een nieuwe watervloed kwam uit het plafond. Daarna werd een klein luik opengeschoven in de zoldering, waaruit honderden ratten tevoorschijn kwamen. Piepend en krijsend zwommen ze alle kanten uit.

'We worden van ruimte naar ruimte gespoeld!' riep Sjieke Charlie. Hij wreef het haar uit zijn gezicht en hief zijn fakkel boven zijn hoofd. Ze ontdekten een ladder die recht omhoog liep, de duisternis in.

'Kom op!' riep Doug. 'Alleen zo komen we hieruit!'

De ladder was levensgevaarlijk. Hij was ongeveer vijftien meter lang en werd steeds gevaarlijker naarmate ze hoger

Uit Dougs schetsboek: Meester Aa en Ives op de vlucht. (DMS 2/42)

klommen: veel sporten waren halfvergaan en knapten onder
het gewicht van de Sujing-strijders. Doug klom zo snel hij kon
achter de lenige Xi aan. Halverwege rustte hij even uit en keek
naar de krioelende ratten in het water onder zich. Het was of
ze zich in een put bevonden, het water kwam de ladderschacht
al binnen. De lucht die uit de afgesloten ruimte werd geperst,
steeg met een spookachtig gekreun omhoog.

Doug trok zichzelf de laatste sporten op en kroop een
kamer in die hoger was dan die beneden. Hij zag er anders uit,
hij was volkomen rond en de wand bestond uit brokken steen
van gelijke grootte. Ives kwam als laatste aan, meer zwem-

mend dan klimmend, samen met de ratten omhooggeduwd door het onstuitbare water.

'Slang!' gilde Vlotte Frankie, toen een zwart-wit gestreepte zeeslang kronkelend in het water viel.

'De kapitein heeft me bezworen dat we op het droge zouden vechten!' klaagde meester Aa. Hij hieuw met zijn zwaard de kop van de romp van de slang. Hij pakte de kop op en wierp die in een hoek van de ruimte. Een veel grotere zeeslang kwam neer op de schouder van een Sujing-strijder. Hij greep de zeeslang bij de staart en schreeuwde 'Sujing Cha!' toen een kameraad zich omdraaide en de slang doormidden hakte. Nog vier slangen gleden het water in, maar de strijders waren er nu op voorbereid. Het water schuimde van hieuwende lemmeten, dodelijke slangen en krijsend ongedierte.

Vanuit het plafond bleef het water binnenstromen, waardoor de ruimte zich razendsnel vulde. Al snel stond het tot borsthoogte en begon iedereen te zwemmen. De kop van een dode slang kwam bovendrijven naast Dougs gezicht. Uitgeput probeerde hij de kop van zich af te duwen. Hij trappelde met zijn benen, op zoek naar houvast, maar in plaats daarvan trok een draaikolk hem de diepte in. Hij stikte bijna. Hij draaide rond in de diepte tot Xu en Xi hem weer naar de oppervlakte trokken. Ze haakten hun armen in elkaar en hielden hem omhoog in de luchtzak.

'Je moet sterk zijn als een Sujing Quantou-strijder, Doug', beval Xi hem. 'Laat de lafhartige valstrikken van Sheng-Fat je er niet onder krijgen. Dat is niet eerbaar.'

'Denk aan het redden van je zuster. Misschien kan alleen jij dat voor elkaar krijgen.'

Doug kuchte en knapte iets op. Xu en Xi glimlachten.

'Jullie hebben gelijk.'

'Natuurlijk. Wij zijn de Sujing Quantou.'

'En ik ben Doug MacKenzie en ik ga hier niet verdrinken. Niet door Sheng-Fats toedoen.'

'Sujing Quantou!' riep Xi

'Sujing Cha!' gilde Doug.

Op dat moment schoof de ijzeren deur aan het ene einde van de ruimte open en ze spoelden een lange, stenen gang binnen, voortgedreven door de enorme watermassa. Ze kwamen vast te zitten in een rooster dat in de vloer van weer een volgende ruimte zat. Doug landde naast meester Aa, die hem net op tijd weg kon trekken, zodat hij niet vermorzeld werd door een paar zware Sujing-strijders.

Doug wreef het zoute water uit zijn ogen en toen zag hij dat ze weer in de eetzaal waren. En dat ze omsingeld waren door ongeveer honderd piraten, met getrokken wapens. Langzaam stond meester Aa op. Hij gooide zijn zwaarden en discussen op de vloer; hij gaf zich over. Dat was de enige optie.

HOOFDSTUK 17

Kapitein MacKenzie kuierde door de poort van het fort, zwaaiend met zijn wandelstok, alsof hij een boswandelingetje maakte. Wat over was van zijn bemanning volgde hem.

Na de overgave van de kapitein had Sheng-Fat Becca en Linnen Pak de wenteltrap afgesleept die naar de binnenplaats leidde. Hij was dolblij, hij lachte, mompelde en schreeuwde zijn overwinning uit. Eenmaal op de binnenplaats aangekomen, duwde hij ze in de richting van de andere gevangenen.

'Rebecca!' zei de kapitein. Becca rende op haar oom toe. Ze was blij hem te zien, ongeacht de netelige situatie. Ze beefde nog na van haar bungelpartij. Toen zag de kapitein Linnen Pak en hij verstarde. 'Julius Pembleton-Crozier. Natuurlijk, het linnen pak. Deze nacht heeft allerlei verrassingen in petto.'

'Goedenavond, Fitzroy. Hoe is het met je been?'

De kapitein stak zijn kin in de lucht en keek langs zijn neus omlaag. Daarna wendde hij zich tot Becca en zei zacht: 'Ik dacht dat ik een overtocht naar San Francisco voor je gekocht had. Dit rattenhol ligt niet op Amerikaans grondgebied, als ik me niet vergis. Je onfortuinlijke broer loopt hier zeker ook ergens rond?'

'Ja oom', mompelde Becca. Ze wilde hem alles vertellen, maar kon geen woorden vinden.

De joelende piraten dreven de gevangenen in ganzenmars naar de ingang van de eetzaal. Pembleton-Crozier kwam achter de kapitein te lopen.

'We hebben veel informatie verzameld over Sheng-Fat', fluisterde Becca tegen haar oom.

'Stilte!' riep een vrouwelijke bewaker, zwaaiend met haar wapen.

De kapitein keek Becca schuins aan. 'Wat voor informatie?'

Het gesprek stokte omdat de bewaakster hem met de kolf van haar geweer op zijn schouders sloeg. Ze daalden de trap af naar de duistere onderaardse zaal. Sheng-Fat kwam er als eerste binnen en liep naar zijn zetel. De Hertogin zat nog steeds aan de pilaar geketend en brulde toen ze de kapitein zag aankomen. Ze liep onrustig te ijsberen, met haar oren plat naar achteren en gromde tegen een bewaker die te dicht in de buurt kwam. De bewaker maakte zich snel uit de voeten.

Becca zag Doug tussen de grote Sujing-strijders staan. Hij grinnikte en stak zijn hand omhoog om te tonen dat hij al zijn vingers nog had. Daarna trok hij met een overdreven gebaar een gelukssok op. Maar toen hij zijn oom in het oog kreeg, kromp hij in elkaar en draaide zijn gezicht weg. De kapitein staarde hem aan met een blik die zich door gepantserd staal had kunnen boren en knikte vervolgens naar meester Aa.

'Aha, de rioolratten', spotte Sheng-Fat. 'En de jonge Mac-Kenzie die ontsnapte. Breng hem en de leider van de Sujing Quantou hier.'

'Iedereen zal knielen voor de grote Sheng-Fat!' riep Chung-Fat in een mislukte poging tot vormelijkheid.

Becca knielde naast de kapitein. Ze vroeg zich af hoe ze hem kon vertellen wat er gebeurd was. Ze merkte dat haar oom met zijn vinger op zijn knie tikte, kort en lang. Morse! Zijn boodschap luidde: REBECCA, GEEF JE INFORMATIE IN MORSE DOOR.

Becca tikte haar boodschap op haar eigen knie, en deed het op een zenuwtrekje lijken. SHENG-FAT HEEFT BRANDSTOF MET EEN HOOG OCTAANGEHALTE NAAR HET EILAND VERSCHEEPT.

De kapitein keek op alsof hem een licht was opgegaan. 'Natuurlijk. Brandstof met een hoog octaan-gehalte! Hij moet een torpedoboot hebben', mompelde hij.

Plotseling blafte Sheng-Fat: 'Ook jij, Engelsman. Knielen!'

'Je moet me niet gaan bedriegen, Sheng-Fat', zei Pembleton-Crozier. 'Ik waarschuw je.'

Sheng-Fat lachte. 'Jij ziet me als je marionet, en niet als je zakenpartner. Maar kijk nu eens wat je doet, je knielt voor me. Jij denkt dat ik je ware bedoeling niet doorheb, je dekmantels niet zie. Dacht je nou echt dat je je andere zaakjes voor me kon verbergen? We bevinden ons in de Zuid-Chinese Zee. Informatie vloeit hier net zo snel als de stroming. Ik weet dat je je geld uitgeeft aan het opsporen van een eeuwenoud schip.'

'Wat ik met mijn geld doe, gaat jou niets aan.'

'O jawel. Deze aanval heeft me wantrouwig gemaakt. Jij en die kapitein kennen elkaar. En dan is er nog het zonnedochter. De bron daarvan is het bestbewaarde geheim in heel China. En volgens mij speelt de Sujing Quantou ook onder één hoedje met jou. Zij hebben jou een monster gegeven, om aan mij door te spelen. Jullie spannen allemaal samen!'

'Kletspraat', zei Pembleton-Crozier. 'Je hebt te veel opium gerookt, makker.'

'Nee. Ik doorzie nu alles. Jullie hadden het plan om mij te bedriegen. Om mij aan te vallen en uit de weg te ruimen. Om me mijn torpedo's en eiland af te pakken. En dan zouden jullie de losgelden voor de gevangenen gaan innen!'

'Je bent krankzinnig!' riep Pembleton-Crozier. 'Je hersens zijn verweekt!'

De kapitein kwam langzaam omhoog, steunend op zijn stok, tot hij boven Sheng-Fat uittorende. 'Ik zou tot de laatste snik gevochten hebben als je het meisje niet over de rand had laten bungelen. Je mannen zijn een ongeregeld zootje. En wat

Pembleton-Crozier betreft: hij is een laaghartige schurk. Ik heb niets met hem van doen.'

'Stilte!' brulde Sheng-Fat. 'Met wie je ook onder één hoedje speelt, je hebt niks te zoeken op mijn eiland! Ik ga jullie allemaal vermoorden!'

Shengs gebrul ging over in een woeste lachbui toen hij achterover leunde in zijn zetel. Daarna kwam er een peinzende blik in zijn ogen.

'Ik heb de torpedo's en nu heb ik ook de Sujing Quantou. Dat is nog eens geluk hebben. Broer, hoe lang zal het duren voor we het geheim van het zonnedochter uit ze gemarteld hebben?'

Chung-Fat bekeek meester Aa van kop tot teen. 'Uiteindelijk breken ze allemaal.'

Met een tevreden blik bekeek Sheng-Fat zijn gevangenen. Plotseling viel zijn oog op Chambois. 'Wat? De Fransman? Leef jij nog?' De piratenleider sprong op en stevende op Chambois af. Hij greep hem bij de keel en drukte hem tegen een pilaar aan. Chambois kromp in elkaar.

Sheng-Fat sprak giftig fluisterend: 'Jij. Chambois. Jij bent het laagste van het laagste. Je hebt mijn broer Li-Fat omgebracht met je vuige listen. Hoe durf je terug te keren naar mijn eiland? Hoe durf je dezelfde lucht in te ademen als ik? Kijk me aan, lafhartig addergebroed! Om jou levend te zien terwijl mijn broer dood is, snijdt me recht door het hart. Zijn dood zal gewroken worden!' Het lemmet van Shengs parang priemde in Chambois' borst.

'Vermoord hem, broer', siste Chung.

'Vermoorden! Vermoorden!' papegaaide een van Shengs mannen. De andere piraten vielen in en er ontstond een dreigende koorzang. Ze dromden allemaal naar voren.

Sheng in de
zetelzaal
DM 1920

Uit Dougs schetsboek. (DMS 2/59)

Maar Sheng-Fat zette niet door. Hij gebaarde met een hand om stilte. 'Nee, vrienden. De dood door het zwaard zou te makkelijk zijn. Een dood die het lijden van Li-Fat weerspiegelt, is de enige passende wraak.' Sheng liet Chambois los en wierp hem tegen de grond. Hij stond kort te peinzen. 'Trek het schip van de kapitein vlot. Ze gaat haar laatste reis maken.'

De stem van de kapitein sneed door de rokerige zaal. 'Wat ben je van plan met mijn schip?'

'Wraak, kapitein.' Tegen een van zijn mannen brulde hij: 'Haal kluisters uit de cellen en de soldeerbout.' Daarna wendde hij zich met een duivels glimlachje weer tot de kapitein. 'We gaan een spelletje spelen, kapitein. Ik laat je gaan, maar voor ik dat doe, zullen mijn mannen Chambois aan de romp van het schip kluisteren. Daarna kom ik achter je aan. Ik zal je laten zien dat mijn torpedo's in een rechte lijn kunnen koersen. En deze keer zal Chambois niet wegzwemmen. Maak de torpedoboot klaar voor een oefening!'

'Maar de Expedient heeft ook torpedo's', zei Chung-Fat.

'Dat gemankeerde schip is geen partij voor het mijne. Vooral zonder bemanning. Alleen de kapitein.' Sheng-Fat knikte snerend naar de kapitein.

De kapitein was geschokt door Sheng-Fats plan. 'Als ik meespeel in je duivelse spel, moet ik een bemanning hebben', eiste hij.

'Goed. Eens even kijken. Zullen we er een familie-uitje van maken? Je krijgt de jongen en het meisje!' kraaide Sheng. Hij wierp een krankzinnige blik op Doug en Becca.

'En de eerste machinist', zei de kapitein. 'Die heb ik nodig. Zo niet, keel ons dan allemaal ter plekke, en de pot op met je spelletjes!'

Sheng was de discussie beu en zwaaide met zijn hand, alsof hij een vlieg verjoeg. 'Je mag de machinist hebben. Mij maakt het niets uit, je maakt toch geen kans.'

'Wat gebeurt er met de rest van mijn bemanning?'

'Die blijft hier, voor het geval je probeert te ontsnappen. Als deze rekening vereffend is, zal ik wel zien wat ik met ze doe. En met de verraderlijke Engelsman.'

'Maar Sheng, ouwe jongen, je laat mij toch wel vrij?' pleitte Pembleton-Crozier.

'O, nee. Ik heb andere plannen met jou. *Ouwe jongen.*'

HOOFDSTUK 18

Uit Becca's dagboek, april/mei 1920.
*Sinds het vertrek uit Shanghai op de jonk van Chung weet ik niet
meer welke dag het is. Aan boord van de Expedient.*

Uit Dougs schetsboek: De Expedient na de slag op het eiland Wenzi. (DMS 2/66)

*Ik kan het nauwelijks geloven. Mijn dagboek heeft het overleefd, ver-
borgen in de voering van mijn jas!*

*We troffen de Expedient aan in de vaargeul van de riviermon-
ding. Volgens de kapitein in 'een redelijk zeewaardige staat'. Ze ziet
er niet uit. Het verborgen geschut staat nog steeds aan dek. Alle dekken zijn zwartgeblakerd en overal verspreid liggen lege hulzen,
enterhaken en bamboevalrepen. We keken toe hoe Shengs mannen
vier ketens aan de romp lasten en Chambois erin hingen. Het lijkt
erop dat Sheng een torpedo op hem wil afvuren en wij gaan er dan
natuurlijk ook aan.*

*Eenmaal aan boord voerde de kapitein een haastige inspectie uit
met mij en Doug in zijn kielzog, terwijl Herr Schmidt zich naar de
machinekamer haastte. We keerden terug naar de brug door de lege*

gangen – ik verwachtte bij elke hoek mensen te zien, maar er was niemand. Wij zijn de enige bemanning. Wat een vreselijke gedachte.

De radiohut is het ernstigst beschadigd, dus telegraferen om hulp is niet mogelijk.

Herr Schmidt, of 'de chef' zoals oom hem noemt, heeft de ketels op temperatuur gebracht en we sukkelen voort met de kapitein aan het roer en Doug en ik op de uitkijk. Sheng-Fat heeft voor een loods gezorgd: een sampan die voor ons uitvaart en de vaarroute doorbrieft. Pal voor ons zien we een lantaarn, vastgemaakt aan de achtersteven van de sampan. Hij gidst ons op onze laatste reis.

Chambois zat vastgeketend aan de romp van de Expedient, ongeveer midscheeps en net iets boven de zeespiegel.

'Monsieur Chambois, de kapitein zegt dat u vol moet houden!' riep Doug. Hij richtte de lichtbundel van zijn zaklamp op de Fransman. Het licht viel al bijna weg in de vroege dageraad, Chambois was duidelijk zichtbaar. Hij hing onbeweeglijk in zijn boeien.

'Heb ik een andere keus?'

'Kunnen we iets voor u doen?' vroeg Becca.

'Ik zou wel een glas champagne lusten, maar gezien de omstandigheden...' Hij bewoog zijn polsen en glimlachte flauwtjes. Becca en Doug bleven nog even staan. Ze wilden hem niet alleen laten, maar wisten niet wat te doen.

De kapitein riep ze naar de stuurhut toen hij aan het roer draaide en het schip naar dieper water navigeerde.

'Goed. We hebben zo onze problemen gehad, dat valt niet te ontkennen. Maar nu moeten we samenwerken, alleen samen kunnen we onze vrienden en scheepsgenoten redden. Jullie moeten me vertrouwen en fiducie hebben in mijn plan.

Uit Dougs schetsboek: Chambois vastgeketend aan de Expedient. (DMS 2/70)

'Wat voor plan?' vroeg Doug.

'Sheng-Fat ziet dit als een spelletje, een dodelijk spelletje. Een onverwachte schietoefening. Maar in zijn gretigheid om de dood van zijn broer te wreken, laat hij alle ruimte voor een mislukking. Hij denkt dat wij geen kans maken, maar we móeten hem verslaan. We moeten een manier vinden om zijn torpedoboot tot zinken te brengen, voor hij ons aan stukken schiet.'

'Denkt u dan dat we hem kunnen verslaan, oom?'

'Waarom niet? Hij is een gokker. Hij is ongeremd, ongedisciplineerd, en zijn zwakte is dat hij zijn mannen wil imponeren. Maar ik moet wel toegeven dat hij de beste kaarten in handen heeft.'

Becca zette haar verrekijker op de kaartentafel en waagde een sprong: 'Als we hier levend uitkomen, hoeven we dan niet naar tante Margaret?'

De kapitein glimlachte verbeten. 'Chantage? Jullie hebben iets te veel tijd doorgebracht met piraten. Hij knikte traag. 'Ik zou het kunnen overwegen.'

'Ik zal het onthouden.'

'Kunnen we geen list verzinnen?' bedacht Doug. 'Kunnen we Sheng-Fat niet in de val lokken?'

'Dat dacht ik ook al', stemde de kapitein in. 'Dit schip blijft nauwelijks drijven, laat staan een aanval afweren. We moeten het leep spelen. We moeten zijn zwakke plek vinden.'

'Zou zijn snelheid zijn zwakte kunnen zijn?' vroeg Doug zich af.

'Snelheid wordt gewoonlijk niet als een zwakte gezien in een oorlogsschip. Maar ik sta open voor ideeën.'

'Als ik Sheng was, en een snelle boot had, en een stel piraten om te imponeren, dan zou ik de show proberen te stelen. U weet wel, alle registers opentrekken', zei Doug. 'Voor ik de torpedo zou afvuren om ons in de grond te boren.'

'Een boeiende gedachte, Douglas', zei de kapitein. Hij schoof wat lege hulzen van de zeekaart en bekeek de vele kleine eilandjes die voor de kust lagen. 'Hij zal een kat en muisspelletje met ons gaan spelen. We moeten ons in een goede positie zien te navigeren. Eens even zien. We hebben een eiland nodig, met aan de ene kant diep water...'

'Wat dacht u van dit eiland?' zei Becca.

'Aha', zei hij kalm. Hij pakte er een potlood bij en omcirkelde het eiland. 'We hebben daar zes vadems, dat moet genoeg zijn.' Hij draaide zich om en keek ze ernstig aan. 'Nog één ding: jullie moeten al mijn bevelen stipt opvolgen. Begrepen?'

Doug en Becca knikten.

'Goed. Douglas, neem het roer over. Hou pal oost aan. Niet oversturen, de machines hebben net voldoende kracht om tegen het tij in te komen.'

Doug kwam naar voren en stond voor de eerste keer aan het roer van het schip.

De Expedient was van hem.

Ondanks de instructies van de kapitein draaide hij het roer een tikkeltje om, alleen maar om te zien dat hij niet droomde. Het schip luisterde en de windroos draaide iets naar stuurboord. Beheerst en zeer tevreden bracht hij haar weer op koers. Het enige probleem was dat hij op zijn tenen moest staan om te zien waar ze heen voeren.

'Pal oost, tot uw orders, kapitein.'

Plotseling schrokken ze op van een stem achter hen. 'Marconist Watts meldt zich, kapitein', zei Bougie. Zijn arm zat in het verband en zijn beroete gezicht was overdekt met snijwonden.

'Goeie god. Watts! Hoe ben jij…'

'Het laatste dat ik me herinner was dat ik onderweg was naar de stuurhut om u een bericht door te geven. Ik hoorde een enorme knal. Toen ik weer bijkwam, bevond ik me in de geheime hut, met een gewonde arm. Overal krioelden de mannen van Sheng-Fat, en toen ik doorkreeg dat u zich overgegeven had, dacht ik: ik blijf zitten waar ik zit. Ik heb mijn arm verbonden en heb me stilgehouden, voor het geval dat.'

'Dat heb je goed gedaan, Watts. Kun je werken?'

'Jazeker, kapitein. Met mijn rechterarm is niets mis en de linker is gekneusd.'

'Dat is goed nieuws. Rebecca en Bougie, volg mij. Douglas, pal oost, richting opgaande zon. Het schip is van jou.'

Doug haalde diep adem en richtte zijn blik op de horizon. In de verte hoorde hij de stem van de kapitein. 'We hebben een klein werpanker nodig, een paar boeien en een staalkabel. Ook moeten we een ijzerschaar en een bootsmanstoeltje hebben, zodat we Chambois snel kunnen bevrijden.'

'Jullie moeten mijn ogen zijn. Jullie moeten alles doorgeven wat Sheng-Fat doet, elke verandering in koers, snelheid, wat dan ook.'

De kapitein liep terug naar de kaartentafel. 'Bougie, ga naar de torpedoruimte. Rebecca, neem de stuurboordkant, ik neem de bakboordkant. Hier is je verrekijker. Blijf in de buurt, binnen gehoorsafstand.'

Kapitein MacKenzie leunde tegen de deurstijl aan bakboordzijde. Hij hield de riviermonding en het fort in de gaten. Doug stond aan het roer. Rebecca stond aan de stuurboordzijde van het schip op de uitkijk. De kapitein liep twee passen vooruit, naar de koperen spreekbuizen naast het roer. 'Brug aan machinekamer. Ben je klaar, chef?'

'Jawohl, kapitein. Bijna.'

Doug was inmiddels een beetje gewend aan het besturen van het enorme schip en keek naar buiten of hij Sheng-Fat al aan zag komen. Eerst zag hij niets. Er verscheen een streep licht aan de horizon, en in de roodgekleurde zonsopgang zag hij een flottielje van zeilen. Ongeveer de helft van Shengs piratenbende was op vijf jonken gestapt om toe te kijken hoe hun meester Chambois en de bemanning van de Expedient ging vernietigen.

'Kapitein! Ze zijn onderweg!' riep Becca.

Het diepe brommen van een krachtige motor golfde over het water. De torpedoboot van Sheng-Fat verliet de riviermonding. De boot was een indrukwekkend vaartuig met twee torpedobuizen en twee zware machinegeweren, één voor en één achter.

De strijd was lachwekkend ongelijk. Doug wilde ineens alle listen en valstrikken vergeten en in plaats daarvan het roer zo vaak mogelijk omgooien om Sheng-Fat in verwarring te brengen. Hij pakte het roer stevig vast en keek nog eens op de windroos. Pal oost.

'Pal naar het zuiden, Doug. Negentig graden naar stuurboord. Laat hem Chambois maar in het vizier nemen. We schotelen ze een koe van een doel voor.'

'Een koe van een doel?' Doug begreep er niets van. Hij aarzelde, zijn instinct zei hem het bevel van de kapitein te negeren.

'Dat is een bevel', riep de kapitein.

Moest hij zijn oom gehoorzamen, zoals beloofd? Maar Chambois dan? Waarom Sheng-Fat niet uit de weg gaan? Dat leek zinniger.

'Doe wat hij zegt, Doug', zei Becca. 'Nu!'

Doug keek zijn zus aan. Hij wilde niet gehoorzamen. Toen haalde hij zich Xi en Xu voor de geest, en de rest van de bemanning en de Sujing Quantou in het fort. Weglopen zou Sheng-Fat niet verslaan. Hij moest het bevel opvolgen, dat was het enige juiste. De bemanning vertrouwde de kapitein en gehoorzaamde hem onvoorwaardelijk, dus waarom zou hij, Douglas MacKenzie, dat niet doen?

'Nieuwe koers, kapitein', riep hij resoluut. 'Pal zuid.' Hij wist dat de stuurman het roer twee spaken draaide om het schip honderdtachtig graden te draaien, en dan halverwege de nieuwe koers het roer weer terugdraaide. Hij deed dat ook en het schip begon onmiddellijk te draaien. Hij zag de windroos

SHENG-FATS MTB *(motor-torpedoboot)*

(Reconstructie op basis van gedetailleerde aan-tekeningen van kapitein MacKenzie.)
Het ontwerp van dit vaartuig lijkt gebaseerd te zijn op dat van een Brits kustvaartuig uit de Eerste Wereldoorlog. Ze had dezelfde geknikte kiel en scheerboeg, waardoor het vaartuig zich bij hoge snelheden uit het water verhief, zodat de boot met een minimum aan weerstand over het water kon scheren. De voorwaarts gerichte torpedobuizen waren een innovatie, bij het origineel konden de torpedo's alleen over de achtersteven afgevuurd worden.

STATISTIEKEN *(geschat):*

WATERVERPLAATSING:
twintig ton

AFMETINGEN:
lengte: 95 voet
grootste breedte: 20 voet
diepgang: 3 voet

VOORTSTUWING:
2 x 375 pk benzinemotoren
topsnelheid: 40+ knopen

WAPENTUIG:
2 Lewis .303 machinegeweren
2 torpedo's

LEGENDA:

1 Achterste Lewis .303 machinegeweer op draaiplateau
2 Laadluik
3 Brug
4 Stuurboord torpedobuis
5 Bakboord torpedobuis
6 Bakboordmotor
7 Stuurboordmotor
8 Toegangsluik
9 Voorste Lewis .303 machinegeweer
10 Luik van bemanningsverblijf
11 Afbeelding van de waterspiegel met
de motoren uit

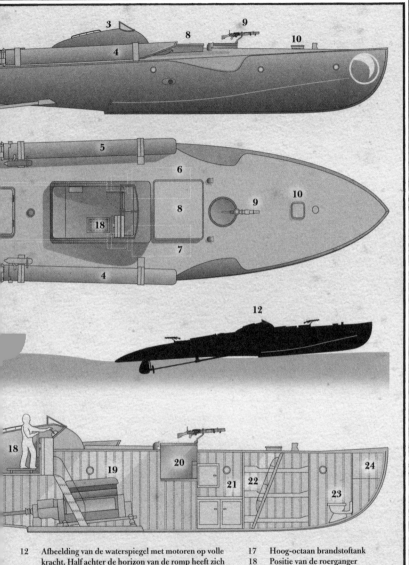

12	Afbeelding van de waterspiegel met motoren op volle kracht. Half achter de horizon van de romp heeft zich een kleine luchtzak gevormd, waardoor de waterweerstand afneemt en de snelheid nog groter kan worden	17	Hoog-octaan brandstoftank
13	Stuurinrichting	18	Positie van de roerganger
14	Positie van de achterste boordschutter	19	Bakboordmotor
15	Laadruim	20	Positie van de voorste boordschutter
16	Brandstoftoevoerbuis	21	Kombuis
		22	Bemanningsverblijf
		23	WC
		24	Voorpiek en kettingbak

door het zuidoosten gaan, op de helft van de draai, en draaide toen het roer weer terug. De Expedient kwam in een zuidelijke koers terecht, hij had slechts ietsje overstuurd.

'Heel goed, roerganger. Hou haar nu recht.'

Doug veegde het zweet van zijn voorhoofd en keek naar de torpedoboot die snel op het schip afkwam.

'Waarom zou hij ons nu niet gewoon tot zinken brengen?' zei Becca.

'Hij kan niet missen', vulde Doug aan.

'Ken je vijand!' riep de kapitein. 'Sheng-Fat zal echt niet meteen beginnen te schieten. Hij gaat met ons spelen voor hij ons vernietigt. Hij wil al die toeschouwers een spektakel bieden.'

De boeggolven van de boot van Sheng-Fat werden hoger, hij zette de gashendel open.

'Hij gaat ons rammen, kapitein!' riep Doug.

'Rustig. Hij gaat ons niet rammen, zijn boot is pas geschilderd. Als ik het bevel geef, draai je scherp naar bakboord.'

'Jawel, kapitein', zei Doug, blij dat zijn oom eindelijk iets verstandigs zei.

De torpedoboot raasde op vol vermogen over de golven. De boeg verhief zich, zodat het was of hij over het wateroppervlak scheerde.

'Nu, Douglas! Scherp bakboord.'

Doug draaide aan het roer tot het niet verder kon. Het stuurhuis kraakte en kreunde onheilspellend en de Expedient schokte naar links.

'Midscheeps!'

Doug draaide aan het roer. Dat bleef hangen en hij moest al zijn kracht gebruiken om het door te kunnen draaien. 'Het sturen is wat zwaar, kapitein.'

'De stuurinrichting is beschadigd door het vastlopen op die slikbank. Draait het roer nog?'

Uit Dougs schetsboek: Sheng-Fat aan het roer van zijn MTB. (DMS 2/74)

'Ja, maar dan ook net.' Doug kreeg het schip recht, ditmaal overstuurde hij iets meer.

De MTB liep op ze in, het dek was duidelijk zichtbaar in het ochtendlicht.

'Hou haar op deze koers. We varen naar dat eilandje pal voor ons.'

Sheng-Fat raasde langs het schip. Hij stond achter het roer als een krankzinnige te lachen. Hij maakte een scherpe bocht en voer pal voor de boeg van de Expedient langs. De jonken lagen op een afstand van ongeveer vierhonderd meter, volgestouwd met piraten. Doug hoorde ze joelend en schreeuwend hun leider aanmoedigen.

De Expedient vormde nu een ideaal doelwit, en de kapitein wist dat. Sheng-Fat richtte zijn eerste schot op Chambois.

'Douglas, verleg de koers. Twintig graden bakboord.'

'Bakboord twintig, kapitein.'

'Sheng-Fat maakt zich gereed om te vuren... NU!'

'Torpedo los!' riep Becca.

'Scherp bakboord, draai naar Sheng-Fat toe.'

Het roer was ineens nauwelijks in beweging te krijgen en de stuurinrichting kraakte en kreunde. Doug trok uit alle macht en uiteindelijk begon het roer te draaien.

'Draai door, Douglas. Midscheeps. Recht zo die gaat.'

De torpedo schoot op een meter of zeven afstand langs het schip en de MTB zeilde de andere kant op. De torpedo vervolgde zijn weg en boorde zich in een van de jonken van de piratenflottielje. Het grootste gedeelte van de romp vloog een meter of dertig de lucht in, op een bruisende paddestoel van zeewater, toen de zoridium-lading ontplofte. Doug keek vol bewondering naar de enorme kracht van Chambois' schepping. De kapitein had er nauwelijks oog voor.

'Hou haar midscheeps, Douglas. Recht zo die gaat.'

Sheng-Fat voer op enige afstand op gelijke hoogte met de Expedient.

De kapitein sprak in de koperen spreekbuis. 'Stuurhut voor torpedoruimte. Maak je gereed een torpedo af te vuren, stuurboord. Stel de diepte in op één voet.'

'Jawel, kapitein.' Bougie bevond zich één dek lager, direct onder de stuurhut. Met veel misbaar klapten de nepwanden van de torpedoruimte neer, waardoor de lanceerbuizen zichtbaar werden.

De kapitein trok een waarnemingsinstrument omlaag dat boven het roer hing. Het leek op een bronzen telescoop, alleen had het instrument meer knoppen en schuiven. Hij stelde het apparaat in en zei kalmpjes: 'Doel in zicht.'

'Torpedo geladen en klaar voor afvuren. Buis in vuurpositie, vijfenveertig graden stuurboord, kapitein', riep Bougie.

De MTB voer nog steeds in volle vaart en kwam in een schuine lijn op de Expedient af.

De kapitein leunde naar voren. 'Vuur!'

Met een zuigend geluid kwam de torpedo uit de buis, voortgestuwd door een stoot perslucht.

'Torpedo afgevuurd.'

De kapitein liep naar de deur en zette de telescoop aan zijn ogen. 'Hij gaat recht op het doel af.'

'Vooruit!' riep Doug.

De torpedo snelde voort in de richting van de MTB, met een smal spoor in zijn kielzog. Sheng-Fats stuurman kreeg het spoor in de gaten. Sheng nam het roer over en verlegde de koers. De torpedo miste de boot op een haar.

'Pech, kapitein', zei Doug.

'Het was te proberen.'

Sheng-Fat voer langs de jonkenflottielje, met een arm in de lucht, alsof hij de overwinning al vierde.

'Verleg de koers. Vaar naar die jonken toe', sommeerde de kapitein.

Sheng-Fat had een bocht gemaakt en was tot stilstand gekomen aan de andere kant van zijn flottielje. Daar wachtte hij de Expedient op. Zijn volgende stap was onverwacht en het was Becca's scherpe blik die ze het leven redde. Toen ze langs de flottielje voeren, op een afstand van zo'n vierhonderd meter, zag ze drie rookpluimen.

'Kapitein! Torpedo's gelanceerd van drie jonken!'

'Het verraderlijke zwijn', monkelde de kapitein. 'Scherp bakboord, Douglas. Goed gezien, Rebecca.'

Doug draaide aan het roer, en gaf tegenwicht toen het schip begon te draaien. Hij kon zien dat twee van de torpedo's het schip zeker gingen missen, maar de derde torpedo kwam akelig dichtbij. Hij zette zich schrap voor de explosie.

De torpedo raakte de romp, maar in zo'n flauwe hoek dat hij ter hoogte van de waterspiegel langs het metaal schuurde. Chambois schreeuwde toen de torpedo onder hem langs schoof, voor hij afzwenkte en in de richting van Wenzi verdween.

'Nu is het genoeg', brieste de kapitein. 'We gaan hem afmaken.' Hij dacht diep na, vergeleek de afstand en de snelheid van beide schepen. 'Bougie! Rebecca! Ga zo snel mogelijk naar de achtersteven!'

'Jawel, kapitein.' Becca hing haar verrekijker aan de deurknop en liep naar de brugladder.

'Ben je bang, Doug?'

'Als ik eerlijk ben, ja.'

'Hm. Ik moet je complimenteren met je koelbloedigheid. Je hebt veel meer van je vader weg tijdens een gevecht dan ik verwacht had. Hij zou trots op je zijn.'

Doug dacht een moment aan zijn vader. Hij was een rustige man en Doug kon zich hem moeilijk strijdend voorstellen, buiten zijn dagelijkse gevecht met de krant. Allerlei vragen drongen zich op, maar dit was het verkeerde moment om ze te stellen.

Uit de spreekbuis van de twaalfponder op de achtersteven klonk Becca's stem op. Ze was buiten adem. 'Ik ben er, kapitein. Bougie komt er aan. Ik wacht op uw orders.'

'Douglas, manoeuvreer het schip zo dicht mogelijk langs de kust aan de zeezijde van dat eilandje. Ze zal niet vastlopen, het is er diep genoeg. We gaan Sheng-Fat een mikpunt geven dat hij niet kan missen. Hou je gereed op de achtersteven. Daar komt hij.'

De kapitein hield de bewegingen aan boord van de MTB

scherp in de gaten door zijn telescoop. Sheng-Fat stevende in volle vaart op ze af. Zijn stuurman bracht de torpedobuis in gereedheid om ze tot zinken te brengen. Sheng gaf het bevel om te vuren.

'NU!' brulde de kapitein in de spreekbuis. Bougie en Becca kapten de tros van het werpanker door en sprongen snel aan de kant toen de stalen kabel met de boei over het achterdek zwiepte.

'Scherp stuurboord!'

Doug draaide het roer met grote moeite rechtsom. Het schip maakte een bocht, de stalen kabel volgde de boog die het schip beschreef. Het werpanker haakte zich vast in de zeebodem. De Expedient lag nu met haar boeg in Shengs koers.

Sheng zat in de val. De MTB voer op topsnelheid. In een fractie van een seconde moest hij beslissen of hij zijn boot te pletter moest laten lopen op de romp van de Expedient, zijn schroef afgerukt te hebben door de strakgespannen stalen kabel, of op de kust van het eilandje te stranden. Zijn torpedo miste doel en gleed het strand op aan het uiteinde van het eilandje. Daar ontplofte hij met een enorme, blauwe knal.

Tegelijkertijd boorde de MTB zich in het met keien bezaaide strand van het eilandje, waarbij de romp aan flarden gerukt werd. De schokgolf van de explosie wierp de boot als een blaadje omver.

'Herr Schmidt, zet de motoren uit.' De kapitein sprak met zachte stem in de spreekbuis. 'Bougie, haal de rem van de katrol, anders zal de staalkabel de achtersteven van het schip scheuren. Rustig vooruit, Doug. Zie zo dicht mogelijk bij het eiland te komen.'

Sheng-Fat kwam wankelend uit een gat in de romp van de MTB. Een van zijn mouwen was met bloed besmeurd. De kapitein bekeek de plek des onheils.

Becca en Bougie kwamen de brug weer op.

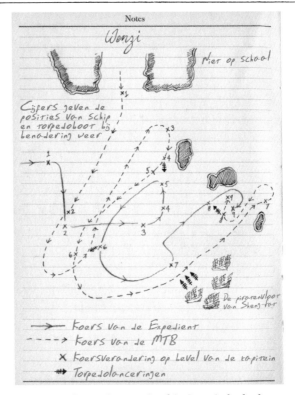

Kaart van de zeeslag zoals opgetekend in Becca's dagboek. (RMD 1/129)

'Het is u gelukt, oom!'

'Met jullie hulp. Maar ik ben bang dat het nog niet voorbij is. Hebben jullie nog andere overlevenden gezien?'

'Nee, alleen Sheng-Fat.'

De piratenleider maakte een eenzame en verlaten indruk terwijl hij naar zijn brandende torpedoboot keek.

'Bougie. Haal het bootsmanstoeltje en maak Chambois los. Becca, werp de valreep uit. We gaan Sheng-Fat oppikken.'

HOOFDSTUK 19

Doug stuurde de Expedient de rivier op. Rook van de slag van afgelopen nacht hing nog boven het fort en de havenmuur. In de verte klonk het geluid van explosies en geweervuur, wat hem op scherp zette.

De kapitein pakte de telescoop en richtte die op een sein-spiegel waarmee een morsebericht werd doorgegeven vanaf het pad naar de haven. LIBERTY DA VINE HEEFT AANVAL INGEZET OM SUJING QUANTOU EN BEMANNING UIT EETZAAL TE REDDEN. ALGEHELE SLAG VOLGT. IVES.

De kapitein las het bericht hardop voor, maar Doug en Becca hadden het zelf al ontcijferd.

'Wie is die Liberty da Vine?'

'Ze is piloot', zei Chambois. 'Ze is ontvoerd door Linnen Pak en Sheng-Fat, in de hoop dat haar vader, een hoge Piet in de scheepvaart, het scheepvaarthandelsverdrag zou onder-tekenen. Zonder schepen in de Zuid-Chinese Zee valt er wei-nig te kapen en dus weinig geld te verdienen.'

'Shengs mannen lijken tot het bittere einde strijd te willen leveren', zei de kapitein. 'We moeten ons opmaken voor een slag. Hier is de sleutel van mijn dagverblijf, Rebecca. Haal even mijn kortelas. Je weet waar je die vinden kunt.'

Toen Becca terugkwam met het wapen, waren Doug en Bougie juist bezig het schip aan te meren bij de havenmuur. Chambois sprong aan wal en liep naar het fort, op zoek naar Liberty.

Een tweede morsebericht werd doorgeseind van nabij het poortgebouw: TORPEDO-OPSLAG GESABOTEERD. STEL VOOR DAT EXPEDIENT DIRECT VERTREKT. ENORME ZORIDIUMEXPLOSIE AANSTAANDE.

Er kwamen figuren uit het fort rennen. Liberty, met haar sjaal wapperend rond haar hals, leidde de groep haveloze gegijzelden. De bemanning van de Expedient gaf ze dekking met wapens die ze in het fort buit hadden gemaakt. Ze renden naar de haven. Wat over was van Shengs piraten vuurde vanaf de muren en vanuit de binnenplaats. De Sujing-strijders beantwoordden het vuur door hun dodelijke discussen naar de binnenplaats te werpen, waar enorme explosies opklonken.

'Keren we het schip en varen we naar open zee, kapitein?' vroeg Bougie.

'Nog niet.' De kapitein trok de stop van de machinekamer-spreekbuis. 'Herr Schmidt, maak u gereed om de machine volle kracht achteruit te zetten. Bougie, neem het roer over. Jij bent niet in staat om te vechten. Rebecca en Douglas, blijf hier en gedraag jullie. Ik ga aan wal, naar Shengs bewapende jonk.'

Aan de landzijde van de havenmuur stond een wachttoren, een meter of vierhonderd verderop. Vanuit de toren werd de aanvoerroute bewaakt, maar ook de jonken die er aangemeerd lagen en het pad dat naar het fort leidde. Momenteel leek de toren onbemand te zijn.

Doug stond voor de stuurhut met een sterke verrekijker de voortgang van de kapitein te volgen. Hij keek langs het pad omhoog en kreeg een Sujing-strijder in het oog die het met zijn zwaarden opnam tegen drie piraten. Ze trapte en viel aan, sloeg ze hun parangs uit handen en velde ze vervolgens in één vloeiende beweging alle drie.

Doug liet zijn verrekijker zakken en zag het echtpaar Ives iets lager op het pad lopen, al in de buurt van de havenmuur.

Mevrouw Ives laadde met een grimmig vastbesloten blik een Martini-Henri-geweer en gaf het aan haar man. Hij had juist een tweede geweer afgevuurd en zo hielden ze constant het pad dat naar het poortgebouw leidde onder schot. De Hertogin dekte ze in de rug. De witte vacht rond haar bek zag rood van vers bloed.

De kapitein ging aan boord van Sheng-Fats bewapende jonk, de wandelstok in de ene en de kortelas in de andere hand. Dit was het schip dat de Rampur Star aangevallen had, daar was hij zeker van.

'Kijk daar, bij de grot! Er vaart een sampan in de richting van Sheng-Fats jonk!' riep Doug.

'Die jonk heeft drie kanonnen op de achtersteven', zei Bougie. 'In een ideale positie om het havenpad te dekken.'

'Als de piraten erin slagen aan boord te komen, kunnen ze iedereen tegenhouden die naar de havenmuur wil.'

'Het andere kanon is gericht op de muur zelf', riep Becca. 'Mensen die op weg zijn naar de Expedient, zullen aan stukken gereten worden. We moeten de kapitein waarschuwen!'

'Jullie mogen niet...' Bougie draaide zich om, maar Becca en Doug daalden al de brugladder af.

Becca greep Doug bij de schouder toen ze zich even later op het schutdek bevonden. 'Wacht. Ik heb deze geleend, voor het geval dat.' Achter de deur lagen de Beierse rapier en een kortelas uit het verblijf van de kapitein. Doug trok zijn wenkbrauwen op en grinnikte. Hij stak de kortelas onder zijn riem.

Ze sprongen over het dolboord en landden op de havenmuur. Doug dacht dat hij Bougie iets hoorde schreeuwen, maar keek niet om. Ze renden naar de jonk, gingen er aan boord en trokken hun wapens.

'Kapitein!' riep Doug. Hij speurde de dekken af.

Een deur gaf toegang tot het achterdek van het schip, het slot was weggeblazen met een buskruitlading. Doug duwde de deur open en glipte met getrokken wapen Sheng-Fats hut binnen. Becca kwam achter hem aan, met het rapier in de aanslag. Er was beweging in de hut, er werd gesmoord gescholden en meubilair omvergeworpen. Ze drukten zich tegen de wand, met ingehouden adem. Iemand haalde de hut overhoop. De kapitein! Op een lage tafel stond een doos, het deksel was er afgerukt. Er zaten acht goudstaven in, die allemaal het drakentandembleem droegen. Ze keken toe hoe hun oom een stapel paperassen in zijn zak propte. Hij voelde aan dat er iemand in de hut was en verstarde. Verrassend lenig draaide hij zich om en sloeg de kortelas met zijn wandelstok uit Dougs handen. Het wapen bleef steken in een houten wand.

'Oom! Snel! Er komt een sampan aan. Het lijkt erop dat de piraten aan boord willen gaan om zo de terugtocht over de havenmuur af te snijden.'

'Verduiveld! We moeten onmiddellijk iets doen.' Hij liep naar de deur en liep daarbij tegen Doug aan, die aan zijn wapen stond te trekken.

De piraten in de sampan kwamen naderbij. 'Laten we eens zien of Sheng zijn buskruit drooghoudt', zei de kapitein. Hij liep naar een kanon aan stuurboordzijde en richtte de loop op het doelwit.

'Aan de kant! Ik ga nu vuren!'

Doug greep de kortelas stevig vast en hurkte neer naast Becca. De kapitein haalde een doosje lucifers uit zijn zak, streek er één af en hield hem bij de opening in de stoorbodem. Metaalscherven en kettingschakels vlogen uit de loop en de romp van de sampan werd op meerdere plaatsen doorboord.

De piraten schreeuwden, rook wolkte uit de loop van het kanon. Hun aanval was afgeslagen.

De kapitein bleef niet nog even van zijn overwinning genieten. Hij, Doug en Becca gingen snel Shengs hut weer binnen. 'De aanval vanuit zee is afgeslagen', zei de kapitein, 'en nu moeten we hun aanval op het land met dit geschut hier saboteren.'

Het viel Becca op dat de stootbodems rijk versierd waren. Zo her en der was een afgesleten Spaans woord zichtbaar. 'Maar het is net of deze dingen uit de 18de eeuw stammen, oom.'

'Dat is ook zo', zei de kapitein. Hij keek langs de lopen naar het pad.

Doug leunde uit een geschutspoort. Hij zag Sjieke Charlie vanuit de heup zijn Purdey afschieten op een paar piraten. 'De piraten zetten een aanval in, kapitein!'

'Hoe veel zijn het er?' De kapitein haalde zijn doosje lucifers tevoorschijn.

Monsters van Sheng-Fats goudstaven.
Het goud was uitzonderlijk onzuiver. (MA 00.1049 SHENG)

'Dertig? Misschien iets meer.'

De kapitein stak de lont in één van de kanonnen aan. 'Ga tegen de scheepswand zitten en stop je vingers in je oren.'

De kapitein vuurde de drie kanonnen achter elkaar af. De gevaartes hadden een flinke terugslag en de bijtende witte rook haakte in hun keel. Hun oren suisden van het kabaal. Ook deze kanonnen waren geladen met metaalscherven, en er kwam zoveel rook vrij dat het onmogelijk was om uit te maken of iemand geraakt was. De jonk deinde heen en weer door de stoten van het geschut.

'We hebben ze de wind uit de zeilen gehaald, maar lang zullen ze zich niet laten tegenhouden', schreeuwde de kapitein. 'We gaan naar de wachttoren.'

Doug kwam als eerste aan dek. Buskruitdampen omgaven de jonk, het zicht was beperkt. Er kwam iemand op hem af rennen. Instinctief weerde Doug een lemmet af met zijn kortelas en dook naar opzij. Toen de kapitein en Becca zagen dat hij in de problemen zat, schoten ze hem snel te hulp. De rook trok op en Doug barstte in lachen uit. Zijn tegenstander was niemand anders dan Xi. Ze lieten hun wapens zakken en schudden elkaar de hand.

'Verbaast het je ons te zien?' vroeg Doug.

'Met een zwaard in je hand, tja, ik herkende je nauwelijks. Het verheugt me dat je besloten hebt mee te vechten', grapte Xi. 'En je zus is hier ook? Alle goden nog aan toe. Men zal deze dag tot in de eeuwigheid vieren, met dankzeggingen, feestpartijen en vuurwerk!'

'Hou toch je kop', zei Becca. Ze keek om zich heen, beducht op andere verrassingen. Xu liep op de kapitein toe. 'Gegroet namens de afdeling Oost van de eerbare orde van de Sujing Quantou', begon hij vormelijk en nog nahijgend.

'Meester Aa laat u groeten en heeft een boodschap voor u. Hij zegt dat we ver in de minderheid zijn en te weinig ammunitie hebben. Hij is van plan te hergroeperen bij de wachttoren voor ze de oversteek naar het schip maken. Hij nodigt u uit u bij hem te voegen.'

Plotseling zag Doug iets vanuit zijn ooghoek. Zonder aarzelen duwde hij Xi aan de kant toen het lemmet van een parang in zijn richting flitste. Het was een overlevende van de sampan, druipend van het water en bloed uit een hoofdwond. Becca viel hem aan. Ze stuitte zijn lemmet met haar rapier en trok de pareerdolk tevoorschijn. Voor hij het wist zat zijn lemmet vastgeklemd tussen haar pareerdolk en het handvat van het rapier. Ze trok hem de parang uit handen, waardoor hij achterover viel. Hij struikelde over het luikhoofd van de buskruitopslag en met een snelle beweging trapte Xi hem overboord.

Zus en Xu in gevecht met de piraat
DM 1920

Uit Dougs schetsboek. (DMS 2/83)

'Genoeg!' riep de kapitein. 'Naar de wachttoren. Volg mij!'

Het salvo metaalscherven had hun vrienden op het pad een paar kostbare minuten respijt gegund. De piraten in de achtervolging leken zich rustig te houden, bevreesd om zich in de open ruimte te begeven.

Deze gevechtspauze had Liberty en Chambois de kans gegeven de gevangenen naar de veilige wachttoren over te brengen, waar ze van uitputting in elkaar gezakt waren. De meesten leken te ziek en moe om het laatste stuk naar de Expedient af te leggen, maar Liberty praatte op ze in en herinnerde ze eraan dat ze snel vrij zouden zijn. De rest van de bemanning van de Expedient bereikte ook de voet van de toren en nam een verdedigende positie in.

'Het gaat niet lukken, kapitein', schreeuwde Ives. 'We kunnen ze niet van ons afhouden.'

'Waar is Pembleton-Crozier?'

'Geen idee. Hij moet in de chaos zijn ontvlucht.'

'Hoe lang nog voor de torpedo's ontploffen?'

'Dat kan elk moment gebeuren.'

'Is iedereen hier?'

'Ja. De Sujing hebben het pad onder controle. We wachten op uw bevel.'

'Hé! Bent u de kapitein van die gebutste bark die daar ligt?'

De kapitein draaide zich om. Liberty kwam aanrennen en hurkte neer aan de achterkant van de toren. Daar herlaadde ze haar donderbus.

'Miss Liberty da Vine?'

'Hoe raad je het, maat. Is uw bestemming de beschaving?'

'Onze bestemming is de vergetelheid als we ze niet kunnen stuiten. Als het zo doorgaat, schieten ze ons aan flarden en nemen ze de Expedient in.'

'Ach welnee, schipper. Je hebt geen rekening gehouden met mij.'

Meester Aa voegde zich bij hen. 'Kapitein. Heeft u Sheng-Fat verslagen?'

'Jawel. Hij zit gevangen op mijn schip.'

'Dan zit ons werk erop', zei meester Aa. 'We zullen een rookgordijn optrekken en ons terugtrekken op de Expedient. Uw bemanning en de Sujing Quantou kunnen de gevangenen dragen.'

'Prima plan. Ives, geef de mannen opdracht de gevangenen naar het schip te vervoeren. Rebecca en Dougls, blijf bij mij in de buurt.'

Meester Aa stelde de knoppen van zijn laatste discus in en wierp hem in de richting van de piraten. Het pad verdween in een dicht, wit rookscherm.

'Allemaal terug naar de Expedient!' riep de kapitein.

Iedereen begon te rennen. Ives, mevrouw Ives, de Hertogin, Sjieke Charlie, Chambois, allemaal holden ze over de havenmuur naar het veilige schip.

Doug rende voort naast zijn zus, ze werden geflankeerd door Xu en Xi. Ze renden zij aan zij over de havenmuur, sneller en sneller, ze wilden niet voor elkaar onderdoen. Halverwege ging hun vlucht over in een sprintwedstrijd. Doug sprak zijn laatste krachten aan en maakte zijn passen nog langer; alle angst en afschuw van de afgelopen dagen zette zich om in een grenzeloze energie en opwinding. Hij had zich nooit eerder zo springlevend gevoeld als op dat moment, hij ontdekte een snelheid in hemzelf waar hij zich niet bewust van was geweest. Hij keek opzij naar Becca, Xu en Xi. Ook zij sprintten met hun borst vooruit, onbevreesd en met de wil om te winnen. Alles was mogelijk. Alles lag ineens binnen hun bereik. Doug had het gevoel dat hij samen met zijn nieuwe vrienden eeuwig zou kunnen blijven rennen.

En ineens waren ze aan boord van het schip, en lieten zich hijgend op het dek vallen. Een minuut later volgden de Sujing-strijders en de bemanning met de halfdode gevangenen. Meester Aa en de kapitein kwamen als laatste aan boord.

Toen de laatste rookflarden optrokken, zag Doug dat de piraten beseften wat er was gebeurd. De overgebleven leden van Shengs piratenbende stormden op de havenmuur af in een laatste poging de Expedient tegen te houden.

'Stuurman, voer ons weg van dit afgrijselijke eiland', beval de kapitein.

Plotseling klonk er een wanhoopskreet. Het was Chambois. 'Liberty! Liberty is niet aan boord. Niet uitvaren! Ze moet nog aan de wal zijn.'

En toen zagen ze haar. Ze stond bovenop de wachttoren, met haar ene voet op de kantelen. De piraten stroomden de havenmuur op. Liberty keek en wachtte tot ze langs de jonk van Sheng-Fat liepen. De piraten hadden haar in het oog gekregen en hieven hun geweren. Ze salueerde, trok haar vliegeniersbril voor haar ogen, spande de haan van haar donderbus en vuurde een schot af in de richting van de buskruit-opslag op de jonk. Een verblindend witte vlam van tien meter lengte schoot uit de dubbele loop toen het Sujing-buskruit-mengsel ontbrandde, en Liberty werd door de terugslag van haar voeten geworpen.

'Ze heeft het hele zakje gebruikt!' riep meester Aa.

Zijn woorden verdronken in het kabaal van de enorme explosie die de jonk in tweeën scheurde. Grote brokstukken vlogen alle kanten op en binnen korte tijd was het schip verwoest en de piratenbende van Sheng-Fat uitgeroeid.

Maar dit was nog maar het begin. Op het moment dat de explosie die Liberty veroorzaakt had wegstierf, deed een tweede eruptie het eiland trillen.

De zoridiumtorpedo-opslagruimte.

Toen het zoridium diep in het gangenstelsel onder het fort tot ontploffing kwam, was het alsof de aardmantel zelf bewoog. De schokgolven drongen omhoog en barstten uit elke scheur en spleet in het aardoppervlak. De Expedient schudde en bokte. Enorme golven rolden door de riviermonding. Het fort explodeerde in een gigantische vuurbal die de overblijfselen van de eeuwenoude muren en torens opslokte en het eiland met wraakzuchtig geweld deed schudden. Vervolgens schoten gevorkte bliksemflitsen de hemel in met de rauwe kracht van een onweer.

Met een allesverblindende blauwe flits werd het fort van Sheng-Fat de vergetelheid ingeblazen.

Beste zus. Ik vrees dat dit niet tot mijn beste werk behoort.
Geschilderd deels uit het hoofd en deels uit mijn duim.
maar toch hoop ik dat het de herinnering aan dat opmerkelijke
avontuur opfrist. Veel liefs. Doug. Kerstmis 1926.

HET EILAND WENZI NA DE ZORIDIUMEXPLOSIE.

HOOFDSTUK 20

De hemel boven de Expedient was donker. Paars-zwarte wolken scheurden open als overrijp fruit. Toen het stof weggeblazen werd door een aantrekkende zuidwestenwind, rolden de laatste echo's van de explosie door de riviermonding naar open zee. Een groot brok van het poortgebouw was terechtgekomen op het vooronder. Vrijwel alles aan dek was beschadigd. Verwrongen buizen en relingen leken gesmolten te zijn; de schoorsteenpijp was als een oude man kromgetrokken en alle reddingsboten hadden grote gaten of waren helemaal verwoest.

De Expedient dreef nog, maar ze leek rijp voor de schroothoop.

Doug kwam als eerste boven water. Net als vele anderen had de klap hem van het dek geblazen.

'Leeft iedereen nog?' riep de kapitein.

Doug keek om zich heen. Het ene na het andere gezicht kwam omhoog: Becca, Chambois, Xu en Xi, ze waren er allemaal. Hij stak zijn duim omhoog.

Xu en Xi begonnen te lachen. 'Zag je die piraten? Ze deden een poging om te vechten. Het was een aanfluiting!'

'Ik zag meester Aa er vijf uitschakelen met twee zwaardstoten. Twee!'

'Alles in orde, Doug?' vroeg Becca.

'Mijn gelukssokken hebben hun werk gedaan. Maar mijn oren tuiten wel een beetje.'

'De mijne ook.'

Ze zwommen om het schip heen en beklommen de afgesleten traptreden aan het einde van de havenmuur. In het neerdalende stof zagen ze een vrouw kalmpjes op het schip afkuieren, met een donderbus nonchalant over een schouder.

'Liberty!' riep Chambois. 'Leef je nog?'

'Daar heeft het alle schijn van. Tjonge, deze donderbus slaat harder terug dan een muilezel!'

'Je hebt Shengs piratenbende tegengehouden.'

'Tja. Weet je Chambois, ouwe makker van me', zei ze terwijl ze een arm om zijn schouder sloeg en hem naar het schip leidde, 'weet je, soms vraagt het een vrouwenhand om een klusje op te knappen. Waar is die schipper? Ik wil een eerste klasse-hut en een warm bad.'

De kapitein verscheen op het dek en bracht Sheng-Fat naar de havenmuur over. Lange tijd staarde de piratenleider naar zijn verwoeste fort.

Meester Aa stofte zichzelf af. 'Een eenvoudige inval, kapitein? In een gangenstelsel?'

'Mijn verontschuldigingen, meester Aa. Zijn de Sujing Quantou tevreden?'

'We schoten er bijna het leven bij in!'

'Ha! Daar is-ie!' riep Liberty. 'Hé jij, Sheng-Fat. Je hebt mijn pink afgesneden. Nu wil ik jouw pink. En dat is nog maar het begin!'

Chambois haastte zich naar haar toe. 'Hou daarmee op, Liberty. Alsjeblieft.'

'Ik heb het volste recht om je te behandelen als de rat die je bent, Sheng-Fat. En dat weet je donders goed.'

'Miss Liberty, ik moet u dringend verzoeken dat niet te doen', zei de kapitein.

'Hoor eens schipper, ik neem van niemand orders aan, ook niet van u.'

'Laat je wapen zakken. Alsjeblieft.'

Liberty hief de donderbus omhoog en richtte de lopen op Sheng-Fat, die achteruit deinsde.

'Geef me die ketting, vuile leegloper.'

Sheng trok het gruwelijke sieraad langzaam over zijn hoofd en gaf het aan haar, zonder zijn blik van haar af te houden. Doug zag dat de hand van deze eens zo vreeswekkende man trilde.

'Als ik u was, zou ik daar blijven staan, kapitein', waarschuwde Liberty. 'Dit ding is niet erg nauwkeurig, maar wel dodelijk.'

'Ik vraag je nogmaals je wapen te laten zakken. Er is geen reden om je te verlagen naar het niveau van Sheng-Fat. Hij is verslagen.'

Liberty draait Sheng-fat de duimschroeven aan.

Dm 1920

Uit Dougs schetsboek. (DMS 2/91)

'Ik heb nog een rekeningetje te vereffenen, kapitein. Ik heb een complete boekhouding te vereffenen met deze griezel. Waar is mijn vliegtuig? Waar is die Engelsman met dat pak?'

'Dat is precies wat ik wilde weten', zei de kapitein. 'En Sheng-Fat stond op het punt mij dat te vertellen toen jij met die donderbus begon te zwaaien.'

'Dan kan hij het ons nu vertellen.'

Sheng-Fats onzekere blik zwierf langs de ruïne van het fort. 'Denkt u dat Pembleton-Crozier dat overleefd heeft, kapitein?'

Liberty spande de haan van de donderbus. 'Hij heeft je misleid, is het niet? We hebben je fort opgeblazen, je torpedo's zijn weg, je gegijzelden zijn weg. Ik moet zeggen dat ik mij daardoor al een heel stuk beter voel.'

Sheng-Fat liet zijn blik rusten op iets onzichtbaars op de slikbank aan de overkant van de riviermonding en begon te lachen. 'Het maakt allemaal niets uit. Jullie zijn te laat. Allemaal.'

Liberty verstrakte, haar blik geconcentreerd en resoluut. Haar vinger spande zich om de trekker en er klonk een schot. De kogel schampte de schouder van de kapitein en trof Sheng-Fat vol in de borst. Hij sloeg tegen de grond. Iedereen dook in elkaar.

'Ik heb helemaal niet geschoten!' riep Liberty.

Ze hoorden het geluid van een startende motor, en zagen een rood watervliegtuig aan de overkant van de rivier tevoorschijn komen. De piloot stak zijn hand op en het vliegtuig kwam los van het water. Even later scheerde het op vol vermogen over hun hoofd.

'Julius Pembleton-Crozier', zei de kapiten. Hij omklemde zijn wandelstok zo stevig dat zijn knokkels wit werden.

'Ik wist het! Ik wist het toen ik de motor hoorde, eerder al. Die gore dief heeft Lola! Hij heeft mijn ontvoering op poten gezet en mijn vliegtuig gestolen!' Liberty zag Lola verdwijnen.

Ze rende naar voren, en nam het vliegtuig met de donderbus onder schot. Maar ze kon de trekker niet overhalen. 'Verduiveld!' schold ze. 'Ik kan mijn eigen kist toch niet neerschieten?' Ze liet het wapen zakken. 'Ik moet van deze kolererots af. Hij mag Lola dan gestolen hebben, hij heeft zijn handen niet op...' Ze glimlachte mysterieus. 'Nou schipper, als ik niet zoveel tijd verbeuzeld had met beuzelpraatjes, had ik uiteindelijk de trekker wel overgehaald. Zeker weten.'

De kapitein luisterde niet. Hij knielde neer bij Sheng-Fat en legde een hand onder zijn hoofd. 'Mevrouw Ives, haal de EHBO-kist. Frankie, Charlie, de draagbaar.'

Sheng-Fats gezicht was lijkbleek en zijn ogen draaiden in hun kassen van de pijn. Een rode vlek breidde zich uit op zijn borst. Hij was overduidelijk stervende.

'Waar had Pembleton-Crozier het geld van de rooftochten voor nodig?' vroeg de kapitein.

Sheng-Fat sputterde wat en sloot zijn ogen.

'Waar was hij mee bezig? Waarom schoot hij je neer?'

'Ik wist... te veel.'

'Waarover?'

'Het schip... het oude schip.'

'Heeft hij het gevonden?'

'Ja. Hij moet het uit een berghelling bikken... Kost veel geld... Vele arbeiders... Met het geld zou hij...'

Sheng leek weg te zakken, maar opeens schrok hij met een wilde blik wakker.

'Ik kan je dood wreken, Sheng-Fat. Als jij mij vertelt waar hij heen gaat.'

JULIUS PEMBLETON-CROZIER

Voormalig eervol lid van het gilde, later verstoten. Pembleton-Crozier onderhield nauwe banden met de onderwereld. Een corrupt genie, dat gevaarlijk veel kennis bezat over de geheimen van het gilde.

'Ik ben het onwaardig, ik ben verslagen… Waarom zou jij mij willen wreken?'

'Zeg me waarheen hij op weg is. Ik smeek het je!'

Sheng-Fats lippen krulden nog één keer in een lepe glimlach, en stierf.

Naar de werkelijkheid getekend. ＤＭ.

May 1920

Uit Dougs schetsboek:
De dood van Sheng-Fat. (DMS 2/93)

HOOFDSTUK 21

De uitleg duurde een kwartier; vijftien zeer spannende minuten. De kapitein zat roerloos te luisteren naar wat zijn neef en nicht hem te vertellen hadden over hun belevenissen tot aan het moment dat ze herenigd werden in de eetzaal.

De kapitein keek strak voor zich uit. 'Jullie kunnen het niet laten, hè? Jullie negeren elk bevel. Jullie denken alles beter te weten, en luisteren niet naar wijze raad van mensen om jullie heen.'

'We zijn simpelweg op zoek naar de waarheid, oom. We willen weten wat er met onze ouders gebeurd is. En waar we ons in begeven hebben', kwam Becca's boze antwoord.

'Ja, jullie zijn zeker onderzoekend van aard.'

'Heeft het gilde vader en moeder gedwongen naar Sinkiang te gaan, net zoals het u dwong achter Sheng-Fat aan te gaan?'

'Het gilde is een organisatie op basis van vrijwilligheid', zei de kapitein. 'Niemand wordt ergens toe gedwongen.'

'Wat deden ze in westelijk China?'

'Je moet me geloven als ik zeg dat ik dat niet weet.'

'Maar u heeft toch wel een idee?' vroeg Doug.

'Ik heb zo mijn theorieën daarover. Maar die kan ik niet bewijzen.'

Becca en Doug vielen even stil. Vervolgens nam Becca het woord weer. 'U heeft beloofd ons niet naar tante Margaret te sturen als we Sheng-Fat zouden verslaan.'

'Dat heb ik inderdaad beloofd.'

'Gaan we wel of niet naar San Francisco?'

'Jullie hebben de stoomboot gemist.'

Becca wendde zich af en keek door een patrijspoort naar buiten. 'Betekent dat dat we bij u blijven?'

De kapitein tikte met zijn wandelstok op het bureau, zinnend op een antwoord. 'Ik doe mijn belofte gestand', zei hij toen. 'Jullie mogen aan boord van de Expedient blijven. Er is geen tijd om jullie in Shanghai of een andere havenplaats af te zetten, dus het kan ook moeilijk anders. Ik mag Pembleton-Crozier niet kwijtraken nu ik hem weer op het spoor ben. De paperassen die ik op de jonk van Sheng-Fat aangetroffen heb, zijn van groot belang. Ik moet hem zo snel mogelijk te pakken krijgen.'

'Welk groot belang?'

De kapitein aarzelde. 'Jullie zijn minder onnozel dan ik dacht toen ik jullie in Shanghai afleverde. Het was weliswaar dom om op eigen houtje achter Sheng-Fat aan te gaan, maar ik heb bewondering voor jullie beweegredenen en stugge volharding. Jullie hebben aangetoond tegenslag goed het hoofd te kunnen bieden. Daarom heb ik besloten dat jullie lid mogen worden van het Gilde. Maar niet nadat jullie de Florence-test met goed gevolg hebben afgelegd. Ik durf jullie nu enkele geheimen van het Gilde toe te vertrouwen. Eerst moeten jullie mij onder ede een belofte doen: zweren jullie dat je nooit iets zult verder vertellen van wat ik jullie nu ga toevertrouwen?'

Becca en Doug, tamelijk onder de indruk, bezworen dat.

'Uitstekend', zei de kapitein glimlachend. 'Ten eerste moeten jullie weten dat het Gilde op het punt staat om de mensheid een nieuw wetenschappelijk tijdperk binnen te leiden. Daarvoor is het absoluut noodzakelijk dat Pembleton-Crozier ons niet voor is. En hij is zeer dichtbij, met gebruikmaking van gestolen Gilde-geheimen. Hij heeft bijna de locatie van het zuidelijke gyrolabium ontdekt.'

'Het gyro wat?' vroeg Doug.

'Gyro*labium*. Het is een soort sleutel die een buitengewone machine in werking stelt waarvan men denkt dat die meer dan zesduizend jaar oud is. Ik denk dat het beter te begrijpen is als ik het even demonstreer.'

Alsof hij een magiër was die een truc uit ging halen, drukte hij op twee nepbouten in de scheepswand. Een boekenkastje zakte omlaag, een kluis werd zichtbaar. Met een sleutel die aan zijn horlogeketting hing, maakte hij de kluis open en haalde er een mahoniehouten doos uit, die hij op het bureau zette.

'Dit is een eeuwenoud werktuig uit Noord-India.'

De kapitein tilde een zilveren bol uit de doos die rustte op een draaipin. De bol leek omgeven te zijn door lengte- en breedtelijnen van goud. Die waren op een dusdanige manier aan de draaipin bevestigd dat ze onafhankelijk van de bol konden draaien.

De kapitein ontstak een olielamp en schoof de poortdeksels voor de patrijspoorten, waardoor het schemerig werd in de hut. 'Het Gilde heeft het de naam gyrolabium gegeven omdat het een kruising lijkt te zijn tussen een astrolabium en een gyroscoop. Er zijn vier van deze werktuigen op de wereld, elk verbonden met een van de vier kompasrichtingen. Tijdens de Griekse verovering van Noord-India in 326 voor Christus werden ze buitgemaakt op een excentrieke kosmologensekte, samen met een boek dat bestond uit een verzameling eeuwenoude teksten, *De 99 Elementen*. Nadien raakten de gyrolabiums gescheiden.

Deze dook in 1533 op in Londen, samen met enkele tekstfragmenten van *De 99 Elementen*, die in het Oudgrieks vertaald waren. Ze waren in bezit van een Egyptische specerijenhandelaar, die ze verkocht aan een Franse diplomaat die Jean de Dinteville heette. Dit gyrolabium en de tekstfragmenten vormen de basis van het gilde. Om te begrijpen wat we proberen te doen, moeten jullie eerst kennismaken met de radicale aard van de wetenschap waarmee we te maken hebben.'

De kapitein ging zeer voorzichtig met het gyrolabium om. Normaal gesproken was hij zelfverzekerd, maar in de buurt van het werktuig leek hij te weifelen; zijn stem klonk gespannen en een beetje angstvallig.

'Ik zal in elke pool een korrel zoridium of zonnedochter aanbrengen.'

'Heeft u dat dan?' vroeg Doug.

'Ja. Een klein buisje met twintig korrels die het gilde verzameld heeft tijdens de oorlog tussen de Sujing Quantou en de Ha-Mi, twee eeuwen geleden. Wil je me even helpen het uit de kluis te halen?'

Doug sprong op en liep naar de kluis, gretig in zijn wens om het spul waarover hij zo veel gehoord had in handen te krijgen. Hij zag het metalen buisje ter grootte van een duim dat rechtop op een bronzen voetstuk stond direct staan. Hij pakte het vast, maar het buisje wilde niet loskomen.

'Het zit vast.'

'Probeer het nog eens.'

Ditmaal kreeg Doug er een fractie van een beweging in. 'Het is bijna onmogelijk. Het is veel te zwaar.'

'Laat mij maar even.' De kapitein tilde het buisje met enige moeite van het voetstuk. Hij schroefde de deksel los en liet twee korrels in zijn handpalm vallen. De korrels hadden iets weg van loodhagel. 'Zonnedochter. Nu begrijpen jullie waarom de Sujing zulke stevige mensen zijn. Ik zal het gyrolabium ermee vullen.'

De kapitein stopte een korrel in een soort contactdoosje aan beide uiteindes en bevestigde een dunne horlogeketting aan het werktuig. Hij gaf een zwiep aan de ovalen buitenrand en het gyrolabium begon rond te tollen. Even begon het te springen, daarna draaide het rustiger rond.

De Hertogin gromde en sloop weg met haar staart tussen de poten.

'Moorddadig!' riep Doug. Hij trok zijn neus op toen hij van dichtbij naar het gyrolabium keek. 'Kijk, het draait steeds sneller. Het maakt een brandgat in het hout!'

Een kringel rook steeg op. Fijne, blauwe elektrische flitsen begonnen heen en weer te schieten tussen de polen van de draaipin.

'Let nu op.' De kapitein pakte een potlood en legde het op het bureaublad. Het begon naar de draaiende bol te rollen.

'Deint het schip zo?'

'Nee. Probeer het nog eens.'

'Magnetisme?'

De eerste keer dat we het gyrolabium zagen.

DM 1920

Uit Dougs schetsboek. (DMS 2/98)

HET GYROLABIUM

Dit raadselachtige zwaartekrachtinstrument heeft iets van zijn geheimen prijsgegeven tijdens de afgelopen vier eeuwen. De inscripties (figuren 3 tot 6) zijn tekens uit het Indus Vallei-schrift, dat tot op heden niet ontcijferd is. Gildeleden die De 99 Elementen bestudeerden, gingen ervan uit dat het teken bovenop het gyrolabium (figuren 2 en 7) een kompasrichting aangaf, in dit geval het noor-

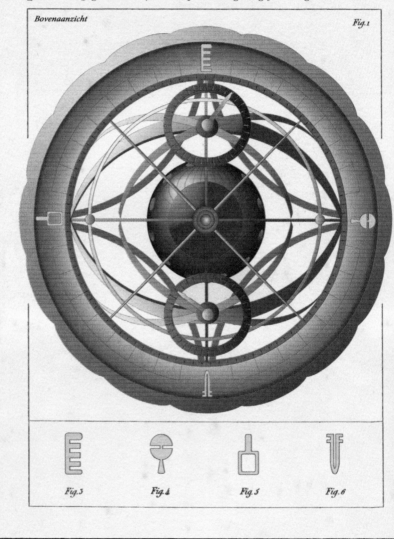

Bovenaanzicht

Fig. 1

Fig. 3   Fig. 4   Fig. 5   Fig. 6

den. Het west-gyrolabium droeg een teken als in figuur 10. Als de gyrolabiums
op hun zij gehouden werden, neigden beide werktuigen naar de desbetreffende
kompasrichting. In 1720 bleek dat een derde gyrolabium, met het oost-teken,
op dezelfde manier reageerde, wat de theorie versterkte dat er vier werktuigen
moesten zijn, waarbij een ontbrekend zuid-gyrolabium aangenomen werd.

Fig.2

Zijaanzicht

Fig.7   Fig.8   Fig.9   Fig.10

'Nee. Een potlood bestaat uit hout en grafiet.'

Op dat moment waaiden een aantal vellen papier op en begonnen een baan rond de bol te beschrijven.

'Zwaartekracht?'

'Nu word je warm. Als het gyrolabium sneller gaat draaien, wordt de aantrekkingskracht op voorwerpen in de buurt groter. Het wekt een eigen zwaartekrachtveld op.'

Terwijl de kapitein aan het woord was, begon de mahoniehouten doos te schuiven, daarna een glas water, en toen voelde Doug dat hij zelf naar het gyrolabium getrokken werd. Het was alsof hij viel. Hij zette zich af tegen het bureau, gaf met gestrekte armen zo veel mogelijk tegendruk. Een diep trillend gezoem kwam uit de bol, die nu zo snel rondtolde dat de lengte- en breedtelijnen versmolten waren tot een vaag halo, verlicht door de elektrische vonken.

Becca omklemde de armleuningen van haar stoel toen die over de vloer begon te schuiven. Ze bracht zichzelf tot stilstand door haar voeten tegen de rand van het bureau te zetten en kreeg – ondanks haar bijna horizontale positie – het onmogelijke gevoel dat ze stond. De Hertogin brulde en jankte. Ook zij werd door de hut gesleurd, haar klauwen haakten in het Perzische tapijt dat over de vloer gleed.

'Genoeg!' De kapitein trok aan de horlogeketting. Het contactdoosje aan de bovenzijde werd uit de bol gerukt en het zwaartekrachtveld werd verbroken. De draaiende bol minderde snel vaart en na een paar seconden kon hij het gyrolabium al vastpakken. Voorzichtig legde hij het weer in de mahoniehouten doos en deed de deksel dicht. 'Als ik het iets langer had laten draaien, waren al mijn boeken uit de boekenkast gevlogen en was de hut verwoest.'

'Waar dient het voor?' vroeg Becca.

'Uit *De 99 Elementen* wordt duidelijk dat het een soort sleutel is. Dat de vier gyrolabiums samen een nog veel krachtiger machine in werking kunnen stellen. Waar die machine zich bevindt is vooralsnog onbekend. Ons onderzoek in Florence toont aan dat hij gigantische hoeveelheden energie zou kunnen opwekken.

Als die energie ingedamd kan worden, zou dat de aanzet zijn tot een wetenschappelijke sprong voorwaarts die te vergelijken is met de industriële revolutie. Er zou dan een nieuw, hoger niveau van wetenschappelijk begrip ontstaan. Maar het zou ook de aarde kunnen vernietigen, met man en muis. Als we de machine vinden, zal de ware aard van de mens zich tonen want de onmeetbare kracht kan zowel goed als slecht gebruikt worden.'

'Maar waarom bouwen jullie niet zelf zo'n machine?' vroeg Becca.

'Dat is helaas onmogelijk. Onze vertaling van *De 99 Elementen* is onvolledig, we hebben niet alle hoofdstukken. Bovendien is het een vertaling van een vertaling, waarin eeuwenoude termen voorkwamen die onvertaalbaar zijn. Onze kennis is verre van compleet.'

'Dus u moet het origineel zien op te sporen', zei Doug.

'Juist. En die zoektoch heeft al vele hoofdbrekens opgeleverd vanaf het moment dat Jean de Dinteville en Georges de Selve in 1533 het gilde oprichtten. Ons enige doel is altijd geweest om ons bezig te houden met zaken die te maken hadden met het onderzoek naar de gyrolabiums en *De 99 Elementen*. Al eeuwen pogen we de betekenis van de tekst te doorgronden, jagen we de gyrolabiums na en zijn we op zoek naar de bron van het zonnedochter.

Ook hebben we de aarde afgezocht naar de onbekende machine. Informatie over de locatie is te vinden in gecodeerde cijfers op de werktuigen en we hebben alle vier de exemplaren nodig om die code te kraken. Maar het vierde gyrolabium ontbreekt. Het gilde bezit er twee, en we hebben informatie over het derde. Pembleton-Crozier heeft kopieën gemaakt toen hij nog lid van het Gilde was. Als hij het ontbrekende vierde gyrolabium vindt vóór wij dat doen, is hij in staat de machine te vinden en kan hij de kracht van het zonnedochter ontketenen. In vergelijking daarmee zijn de torpedo's van Chambois voetzoekers. Nu snappen jullie waarom we achter hem aan gaan.'

Becca's blik had iets peinzends, het was of ze iets tegen te werpen had. 'Dus... is dat waar onze ouders naar op zoek zijn? Een gyrolabium?'

'Dat is mogelijk, Rebecca. Maar...'

'U onderneemt niets om dat uit te zoeken!' riep ze. 'Het gilde heeft niets gedaan om onze ouders te redden! En wij zitten hier als kinderen te tollen!' Ze rende de hut uit en sloeg de deur achter zich dicht.

'Ga je niet achter haar aan, Douglas?'

'Is er een reddingsteam naar Sinkiang gestuurd, kapitein?'

'Ja. Vlak voor de aanval op Wenzi heb ik bericht ontvangen. Ze hebben geen spoor van je vader en moeder gevonden. Het spijt me, Douglas.'

Doug stond op.

'Begrijp je wat ik zeg, Douglas? Ze zijn verdwenen.'

'Ik heb u wel gehoord, kapitein.'

'Je bent er opmerkelijk kalm onder, neef.'

'Iedereen zegt steeds maar weer dat Sinkiang heel uitgestrekt is. Misschien zochten ze op de verkeerde plek.'

'Een rationele gevolgtrekking, geen emotionele.' De kapitein glimlachte.

Doug liep naar de deur. Daar bleef hij staan en draaide zich om. Ineens doorzag hij iets wat hem al een tijdje bezighield. 'De Sujing Quantou. Dat zijn geen Chinezen. Toch?'

'Verre van.'

'Het zijn Grieken', redeneerde Doug.

'Inderdaad. Waar was Alexander de Grote in 326 voor Christus?'

'India?' vroeg Doug na een korte denkpauze.

'Heel goed. Ze waren bij de rivier de Hyphasis aangekomen, waar zijn leger aan het muiten sloeg. De moraal had een dieptepunt bereikt. Ze hadden alle landen, van Egypte tot India, onderworpen, en de overgebleven soldaten wilden naar huis na al die jaren van vechten. Toen werden de gyrolabiums ontdekt. Het lijkt erop dat de vondst niet aan Alexander gemeld werd, uit angst dat de veldtocht nog langer zou duren. Er werd besloten de gyrolabiums zo ver mogelijk bij Alexander vandaan te houden, voor het geval hij ze in wilde zetten bij militaire campagnes. Er werden teams samengesteld, bestaande uit de beste verkenners. Elk team kreeg één gyrolabium en een kwart van *De 99 Elementen*, die ze naar de verste uithoeken van Azië moesten overbrengen.

ALEXANDER DE GROTE (356-323 V. CHR.)

De Koning van Macedonië, een militair genie, veroverde een groot gedeelte van de in die tijd beschaafde wereld. Hij leidde zijn troepen door Perzië, Egypte, Afghanistan en India.

Foto © *The British Museum/HIP*

Toen Alexander hoorde dat zijn mannen zomaar vertrokken waren, nam hij aan dat ze gedeserteerd waren. Ze vielen in ongenade, wat inhield dat ze gedoemd waren rond te dolen zonder ooit naar Griekenland terug te kunnen keren. De Sujing Quantou zijn de nazaten van deze vier door tegenslag geteisterde militaire teams. Hoe ben je daar achtergekomen?'

'De discussen en de omlaaggebogen ramshorens op hun helmen. Dat is het teken van Alexander, het staat op zijn munt, daar heb ik ooit een afbeelding van gezien. Hebben de Sujing het derde gyrolabium in bezit?'

'Ja. Ze bewaren het in hun hoofdkwartier in Khotan.'

'Maar de naam is Chinees, niet Grieks.'

'Na vele eeuwen doorgebracht te hebben in China, hebben ze de gewoontes van het land overgenomen en raakten ze bekend onder de naam Sujing Quantou.'

'Kunnen ze nooit meer terug naar Griekenland?'

'Natuurlijk wel. Nu wel. Maar het hart bepaalt waar je je thuisvoelt, Douglas.'

'En zij hebben waarschijnlijk de bron van het zonnedochter ontdekt?'

'Ja. En die bewaken ze zeer streng.'

Doug wilde de hut verlaten, hij hoorde aan de stem van zijn oom dat het gesprek ten einde was. 'Bedankt, oom, dat u ons niet naar Amerika stuurt.'

'Wacht. Er is nog een reden waarom ik jullie niet wegstuur. Jij en je zuster hebben hier vrienden gemaakt. De bemanning van een schip vindt altijd wel een manier om een kapitein te laten voelen dat hij een besluit genomen heeft dat ze niet zint.'

Doug liep naar zijn hut. Door de openstaande tussendeur zag hij Becca in haar kooi liggen. Ze staarde strak naar een buis die langs het plafond liep. Ze zeiden niets, waren allebei verzonken in hun eigen wereld.

Hij was uitgeput en verkeerde in een staat van verwarring over zijn toekomst. Na alles wat er gebeurd was, leek het lot van hun ouders niet veel duidelijker dan een jaar eerder. Hij hield zichzelf voor dat 'geen spoor' niet automatisch 'dood' betekende.

Veel troost gaf die gedachte niet.

Zowel Becca als Doug werden in hun overpeinzingen gestoord door een geluid uit de bagagekluis aan de voet van Becca's kooi. Ze legde een vinger tegen haar lippen en was in drie stappen bij de kluis. Doug ging de tussendeur door en trok het luik open, klaar om een eventuele piraat uit te schakelen.

Twee slanke personen sprongen tevoorschijn. 'Sujing Cha!' riepen ze. Xu en Xi zagen Becca's grimas en barstten in lachen uit. Ook Becca begon te lachen.

Terwijl ze allemaal een plekje zochten om te gaan zitten – Becca op de rand van haar bureautje, de Sujing-tweeling op haar kooi en Doug in de stoel, waar hij zich onledig hield met het uit de voering van zijn jas halen van zijn zakkompas – haalde Xu een zoete pudding en vier lepels tevoorschijn uit de kluis.

'Blijven jullie aan boord van het schip?' vroeg Xi.

'Zo lang dat nodig is. Ik ben van plan een expeditie op poten te zetten', zei Becca.

Doug fronste. 'Je bedoelt te zeggen: *wij* zijn van plan.'

'Waarheen?' vroeg Xi nieuwsgierig.

'Naar Sinkiang. Om op zoek te gaan naar onze ouders.'

'Sinkiang is een gevaarlijk gebied', merkte Xu op, met een volle mond.

'Gevaarlijker dan het eiland van Sheng-Fat?' vroeg Becca.

'Heeft niemand jullie dat ooit verteld? Sinkiang is een van de ergste plekken ter wereld. Je kunt wel wat hulp gebruiken.'

'Zouden jullie met ons mee willen?' vroeg Doug.

'Natuurlijk!' Xu en Xi leken de wanhoop in Dougs stem aan te voelen. 'Aangezien we zij aan zij gevochten hebben, zijn we voor eeuwig met elkaar verbonden. Zo gaat dat bij de Sujing Quantou.'

Becca zuchtte diep. Ze keek de een na de ander aan en zag hun resolute blik. 'Dat is dan afgesproken. Een geheim pact.'

'Misschien zijn deze ons nog van nut.' Doug haalde acht kleine goudstaven uit de voering van zijn jas, elk gemerkt met een drakentand. 'Als we problemen hebben, bijvoorbeeld met een kapotte krukas, kunnen we hier een nieuwe voor kopen', zei hij grinnikend.

Uit Becca's dagboek. 2 mei 1920.
Aan boord van de Expedient, niet ver van Wenzi.

Het gilde heeft een geheim doel. Xu, Xi, Doug en ik ook. Momenteel hou ik mijn verblijf op het schip de Expedient en is mijn werkgever het Edelhoogachtbare Gilde van Specialisten. Het is beter om ergens bij te horen, dan nergens bij te horen. Doug en ik hebben onze route uitgestippeld.

Ik moet over vijf minuten wacht gaan lopen. Doug heeft vier uur de tijd om een slaaptekort weg te werken, als hij tenminste kan stoppen met eten. Ik trek mijn stevige schoenen aan, sla mijn boeken dicht en maak me gereed voor mijn allereerste wacht als dekknecht op het onderzoeksschip de Expedient, in dienst van het Edelhoogachtbare Gilde van Specialisten.

Kapitein MacKenzie tikte met de punt van zijn passer op de kaart die voor hem lag. De duizenden eilanden van de Oost-Indische archipel leken regendruppels op een ruit. Vanaf het dek kwam het geluid van het vastsjorren van de Galacia door zijn puike bemanning. 'Iemand heeft mijn pudding gestolen!' krijste mevrouw Ives. Haar stem drong door het gepantserde dek heen boven zijn hoofd. 'Wie heeft dat geflikt? Het was vast die Lapsang Souchong-tweeling! Niets dan ellende met die twee. Wat ik je brom!'

De Hertogin geeuwde en gromde zacht.

'Wat heb jij te vertellen?' vroeg de kapitein.

De tijger keek lui naar de barometer en tilde haar kop snuffelend op. De meter zakte razendsnel. De kapitein wist wat dat betekende. Met een droeve glimlach opende hij een lade in het bureau en liet er de zeer bruikbare paperassen en kaarten in glijden die hij op de jonk van Sheng-Fat gevonden had.

'Stuurhut?' riep hij in de spreekbuis.

Ives antwoordde. 'Hier de stuurhut, kapitein. Ives.'

'Zet koers naar de Celebes Zee.'

'Tot uw orders, kapitein. Heeft u de lucht gezien? Die heeft een heel vreemde kleur. Dat staat me niets aan.'

'Sluit alle luiken en tuig het schip op voor slecht weer. We krijgen een zware tyfoon.'

EINDE VAN BOEK I

Aanhangsels

1 Het Edelhoogachtbare Gilde van Specialisten ii

2 De Ambassadeurs iii

3 De uitvindingen van Luc Chambois iv

4 Cove Cottage vi

5 Het eiland Wenzi viii

6 Voorwerpen uit het MacKenzie-archief x

7 Monsterrol van de Expedient xii

Beknopte bibliografie xiii

HET EDELHOOGACHTBARE GILDE
VAN SPECIALISTEN

Het Edelhoogachtbare Gilde van Specialisten (EGS) werd in 1533 opgericht en bestond uit een groep excentrieke wetenschappers en ontdekkingsreizigers. Men kon uitsluitend op uitnodiging lid worden. Rond 1920 werd het Gilde geplaagd door steeds grotere schulden, en onenigheid over de te varen koers en doel had de twaalf leden van de raad van bestuur in drie groepen uiteen doen vallen.

De eerste groep bleef vasthouden aan het oplossen van de Indus-raadselen van *De 99 Elementen* en het zonnedochter. De tweede groep vond dat het Gilde kennis die door de eeuwen heen was opgedaan ten gelde moest maken. De derde groep zag de zoektocht naar de Indus-raadselen als verspilde moeite. Zij wilden de hogere doelen van het Gilde laten varen en zich richten op

lucratieve vertrouwelijke missies in opdracht van regeringen, die de grootste inkomsten opleverden. De criminele activiteiten van Julius Pembleton-Crozier dwongen alle leden van de raad van bestuur om hun positie nauwgezet te bepalen.

Het wapenschild van het EGS. *Het Latijnse opschrift laat zich als volgt vertalen: 'Door vaardigheid en eer'. Het teken in het midden stelt de vier windrichtingen voor en de schedel refereert aan Holbeins schilderij* De Ambassadeurs. *De hand met daarin de pijl staat voor bereidheid tot vechten voor een goede zaak; de pijl staat eveneens voor de kompasnaald, het symbool van de fascinatie van het Gilde voor de krachten der natuur.*

'DE AMBASSADEURS'

Jean de Dinteville en Georges de Selve zijn bekend geworden door dit beroemde én bedrieglijke schilderij van Hans Holbein de jongere. Beide mannen staan naast een verzameling wetenschappelijke werktuigen, muziekinstrumenten en andere voorwerpen die bijna levensgroot zijn afgebeeld. Met de beroemde vervormde schedel en vele intrigerende visuele verwijzingen, lijkt dit schilderij een geheime bedoeling te hebben, waarover geleerden zich eeuwenlang het hoofd gebroken hebben.

Documenten uit het archief van Rebecca MacKenzie werpen nieuw licht op het werk: zij voert aan dat de oorspronkelijke titel *De oprichting van het Edelhoogachtbare Gilde van Specialisten, 1533* luidde.

De Ambassadeurs door Hans Holbein de jongere, olie op paneel, 207 x 209,5 cm. National Gallery, Londen. © National Gallery Company Ltd.

De uitvindingen van Luc Chambois

De molecuulversterker

De werking van de molecuulversterker is altijd omgeven geweest door raadselen. Chambois hield vol dat Pembleton-Croziers trawanten zijn onderzoeksdocumenten gestolen hebben op de avond waarop hij in Parijs ontvoerd werd. Er is in het MacKenzie-archief niets teruggevonden over het apparaat.

Er zijn wel fragmenten bekend van de transcriptie van een lezingcyclus, waarbij Rebecca, Douglas en hun ouders in Londen aanwezig waren. Maar Chambois hield de lezingen puur om geld in te zamelen voor zijn onderzoek en hij gaf de geheimen inzake zijn uitvinding niet prijs: nooit beschreef hij de precieze werking van het apparaat.

Er is één document dat de werking van de molecuulversterker deels prijsgeeft: in het MacKenzie-archief bevindt zich één bladzijde van een brief die Chambois schreef aan Hamish MacKenzie (de vader van Rebecca en Doug). Het is geen technische beschrijving, maar Chambois schrijft enthousiast over het 'stemmen' van staal door middel van de versterker, 'bijna alsof je een muziekinstrument bespeelt'. Er is ook een passage over harmonieleer en de verenigde natuurwetten – een stokpaardje van het gilde – en het is bekend dat het gilde de ontwikkeling van de versterker gefinancierd heeft.

Maar waarom kennen we dit apparaat dan nu niet meer? De oplossing ligt voor de hand, maar valt niet te bewijzen. Chambois kon zijn uitvinding niet alleen met financiële steun van het gilde bouwen, maar ook met gebruikmaking van hun kennis van in die tijd vooruitstrevende wetenschap. Als dat zo was, had hij zich te houden aan hun onwrikbare geheimhoudingsplicht.

DE MISTGENERATOR

Zes draadroosters werden rondom het schip aangebracht. Elk rooster bestond uit een aantal zeshoeken en in het midden van elke zeshoek bevond zich een spuitmond. Deze spuitmond werd door geïsoleerde buizen gevoed vanuit de stoomketel.

Aangezien zeewater licht basisch is, had de stoom die uit de spuitmonden kwam een negatieve lading. Tussen de draadroosters/boiler (positief geladen) en het stoom (negatief geladen) werd een stroomkring opgezet, waardoor het 'stoomgordijn' naar buiten getrokken werd in de roosters. Dit effect werd versterkt door de draadroosters aan een elektrostatisch apparaat te koppelen.

Chambois ontdekte dat de stoom 'nat' moest zijn (het moest gecondenseerd water bevatten) en precies 100 °C. De stoom uit de scheepsstoomketels was 'droog' (door oververhitting) en veel heter dan 100 °C. De 'droge stoom' werd in een reguleringskast gemengd met verse stoom uit de reserveketels en op die manier ontstond een bruikbaar 'nat' mengsel.

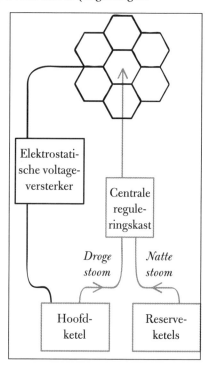

(Getekend op basis van aantekeningen van Luc Chambois. Zie ook pagina 185.)

WAARSCHUWING: onder geen beding mag elektriciteit in contact worden gebracht met stoom of water in een poging om Chambois' uitvinding na te bootsen. Dat kan leiden tot elektrocutie en de dood.

COVE COTTAGE

Een van de ruimtes in het archief.

Deze foto toont het MacKen-zie-archief in Cove Cottage, het huis van Rebecca MacKenzie in Perenprith, Devon.

Men neemt aan dat hier documenten en voorwerpen opgeslagen zijn die te maken hebben met het Edelhoogacht-bare Gilde van Specialisten, waaronder verslagen van expe-dities en vertrouwelijke missies en wetenschappelijke onder-zoeksresultaten vanaf het jaar van oprichting (1533) van het gilde. Het archief bevond zich aanvankelijk in Florence (Italië) en is ergens in de 20ste eeuw overgebracht naar de huidige locatie. De reden daarvoor lijkt verborgen te zijn ergens in de geschatte vijftigduizend docu-menten die nog doorgenomen en verwerkt moeten worden.

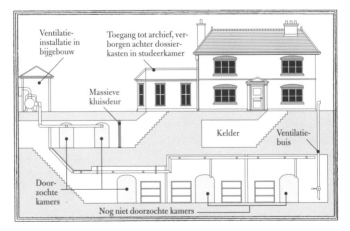

De toegang tot het archief is verborgen achter dossierkasten in de studeerkamer. Daarachter loopt een betonnen trap omlaag tot aan een massieve kluisdeur. De onderaardse ruimte is goed geventileerd en droog. Enkele afgesloten kamers zijn nog nooit betreden of doorzocht.

Linksboven: De kluisdeur die toegang geeft tot het archief.

Rechtsboven: De studeerkamer van Rebecca MacKenzie.

Links: Portret van Hamish en Elena MacKenzie (de ouders van Rebecca en Doug), met de kleine Rebecca.

Linkerpagina: Dwarsdoorsnede van Cove Cottage, met daarop de locatie van de geheime kamers.

(MA 239.44 MAC)

HET EILAND WENZI

Het fort op het eiland Wenzi had een lange en beruchte geschiedenis. Het werd in 1410 gebouwd door twee verbannen generaals van het leger van de Ming-dynastie. Het kende bloei-tijden en tijden van verval tijdens een opeenvolging van piratenleiders en misdadigers die het eiland voor zich opeisten. De ligging maakte het tot ideale uitvalsbasis voor piraten die het hadden voorzien op schepen in de Zuid-Chinese Zee, de Straat van Formosa en de wateren rond de Pescadoren.

Toch was het eiland niet altijd bewoond. In 1796 meldde de expeditie van kapitein William MacKenzie dat slechts een handjevol vissers de haven gebruikte om er hun netten te boeten. Hij kon zijn cartografische werk in alle vrijheid uitvoeren.

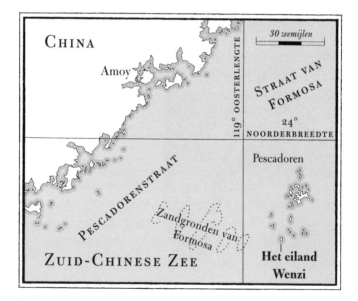

Wenzi ten opzichte van de Chinese kust en omliggende eilanden. (MA 809.80 WEN)

DUPLICAAT VAN DE TOPOGRAFISCHE VERKENNING (1796)
DOOR HET EGS VAN HET

EILAND WENZI

GERECONSTRUEERDE KAARTEN VAN HET GANGENSTELSEL
EN HET HAVENGEBIED OP HET EILAND WENZI

VERTROUWELIJK MATERIAAL

Met toestemming gepubliceerd (MA 809.66 WEN)

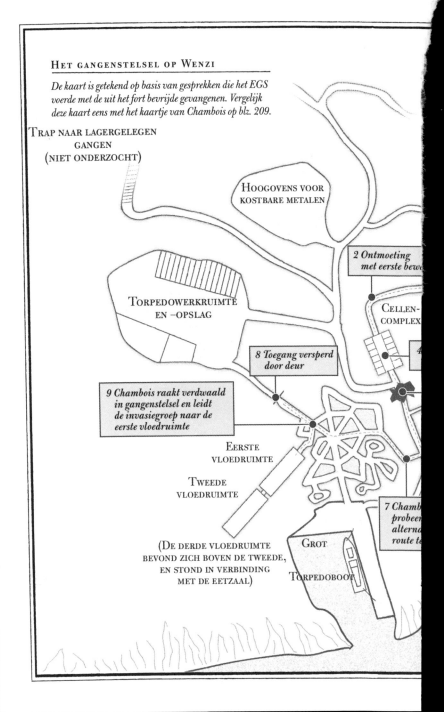

Het gangenstelsel op Wenzi

*De kaart is getekend op basis van gesprekken die het EGS
voerde met de uit het fort bevrijde gevangenen. Vergelijk
deze kaart eens met het kaartje van Chambois op blz. 209.*

TRAP NAAR LAGERGELEGEN
GANGEN
(NIET ONDERZOCHT)

HOOGOVENS VOOR
KOSTBARE METALEN

2 Ontmoeting
met eerste bew

CELLEN-
COMPLEX

TORPEDOWERKRUIMTE
EN –OPSLAG

8 *Toegang versperd
door deur*

9 *Chambois raakt verdwaald
in gangenstelsel en leidt
de invasiegroep naar de
eerste vloedruimte*

EERSTE
VLOEDRUIMTE

TWEEDE
VLOEDRUIMTE

7 *Chamb
probeer
altern
route t*

(DE DERDE VLOEDRUIMTE
BEVOND ZICH BOVEN DE TWEEDE,
EN STOND IN VERBINDING
MET DE EETZAAL)

GROT

TORPEDOBOOT

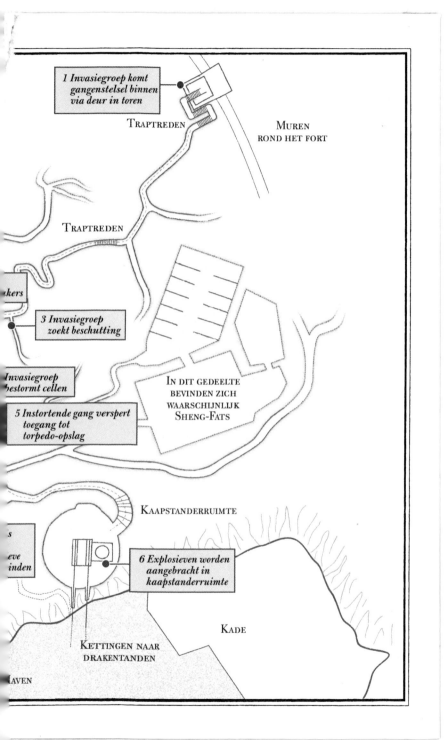

1 *Invasiegroep komt gangenstelsel binnen via deur in toren*

TRAPTREDEN

MUREN
ROND HET FORT

TRAPTREDEN

...kers

3 *Invasiegroep zoekt beschutting*

Invasiegroep bestormt cellen

5 *Instortende gang verspert toegang tot torpedo-opslag*

IN DIT GEDEELTE
BEVINDEN ZICH
WAARSCHIJNLIJK
SHENG-FATS

KAAPSTANDERRUIMTE

...s ...eve ...inden

6 *Explosieven worden aangebracht in kaapstanderruimte*

KETTINGEN NAAR
DRAKENTANDEN

KADE

...AVEN

VOORWERPEN UIT HET MACKENZIE-ARCHIEF

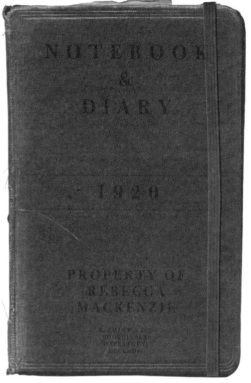

Links: Dagboek over het jaar 1920 van Rebecca MacKenzie, waarin ze haar avonturen inzake Missie Jericho Rood optekende.

Onder: Gevechtshelm van de oostelijke afdeling van de Sujing Quantou. Rebecca MacKenzie kreeg hem van Sujing-strijder in opleiding Xu.

(MA 00.671 RM)

(MA 00.22342 SUJ)

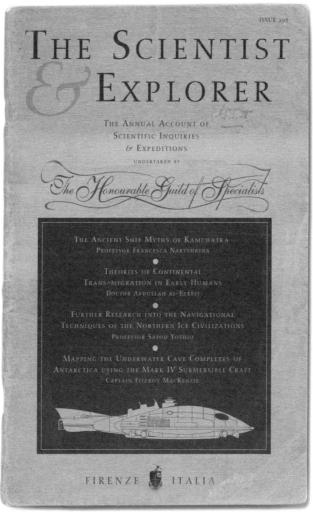

ISSUE 298

THE SCIENTIST & EXPLORER

THE ANNUAL ACCOUNT OF
SCIENTIFIC INQUIRIES
& EXPEDITIONS
UNDERTAKEN BY

The Honourable Guild of Specialists

THE ANCIENT SHIP MYTHS OF KAMCHATKA
PROFESSOR FRANCESCA NARYSHKINA

THEORIES OF CONTINENTAL
TRANS-MIGRATION IN EARLY HUMANS
DOCTOR ABDULLAH AL-EZREFI

FURTHER RESEARCH INTO THE NAVIGATIONAL
TECHNIQUES OF THE NORTHERN ICE CIVILIZATIONS
PROFESSOR SATOH YOSHIO

MAPPING THE UNDERWATER CAVE COMPLEXES OF
ANTARCTICA USING THE MARK IV SUBMERSIBLE CRAFT
CAPTAIN FITZROY MACKENZIE

FIRENZE ITALIA

(MA 00.298 SE)

Boven: Zeldzaam exemplaar van The Scientist & Explorer *('De wetenschapper & ontdekkingsreiziger'), geheel gewijd aan verslagen van openbare
expedities en ontdekkingen van het gilde. De vertrouwelijke missies – de
financiële hoeksteen van het EGS – werden nergens vermeld.*

MONSTERROL VAN DE EXPEDIENT

MACKENZIE, FITZROY	*kapitein*
IVES, ERASMUS	*stuurman*
WATTS, STEPHEN (Bougie)	*marconist*
SCHMIDT, WOLFGANG (De Chef)	*eerste machinist*
KING, WILLIAM (Koning Billy)	*eerste onderofficier*
LINCOLN, ROBERT (Schrokop Swa)	*onderofficier/duiker*
DENYER, HAROLD (Pijl)	*eerste wapenmeester/duiker*
STEINHAUER, KONRAD (Kogel)	*wapenmeesterknecht*
LANGE, ANTON (Onderdeur)	*richter eerste klas*
BRAY, SAM (Spekgladde Sam)	*hulpkannonier/duiker*
VASTO, GIUSEPPE (De Gondelier)	*duiker/eerste torpedist*
HOSHINO, KIYOSHI (Losse Lip)	*monteur (op de Galacia)*
WILHELMSSON, AXEL (Pommade)	*matroos eerste klasse*
CHARLES (Sjieke Charlie)	*vol matroos/duiker*
FUKUDA, KINSAKU (Bofkont)	*timmerman*
SMOLA, FRANK (Vlotte Frankie)	*monteur/duiker*
DRAYCOTT, GERALD (De Priester)	*eerste stoker*
DONNE, FRANÇOIS (Grappa)	*stoker eerste klas*
MESSOP, JOHN (Lachebekje)	*stoker*
TENG, MR (De Professor)	*hofmeester*
IVES, FAITH HOPE ANNE CHARITY	*kokkin*
DE HERTOGIN	*scheepskat*

BEKNOPTE BIBLIOGRAFIE

Barrouillet, Stéphanie – *Archeologische en topografische verkenningen van de woestijnen van Sinkiang* (Parijs, 1901)

Beak, Catherine – *Geologische afwijkingen in zee, een studie van de Chinese kust* (Badger, Londen, 1934)

Blazeby, Commandant Crispin KM (bd) – *Varen verklaard, met strategieën om rampen op zee te voorkomen* (Gibber Books, Salcombe, 1952)

Bullen, Benjamin - *In gezelschap van de Sujing Quantou, met doek en penseel door China* (Erskine, Londen, 1903)

Chambois, Luc – Selectie uit de lezing 'Renforcer la chaîne moléculaire de l'acier par stimulation électrique' ('Het versterken van de moleculaire verbindingen in staal door elektrische stimulering'), vertaald door Monica Perez voor haar monografie *Nieuwe richtingen in de wetenschap* (Candlewick, Texas, 1919)

Conroy-Scott, Kevin – *Geheime organisaties en verwante ontdekkingen* (Chicago, 1912)

Drasar-Schmidt, T. en E. – *Duelleren en schermen in de Beierse stijl* (Londen/München, 1810)

Earley, Lucy – *Alleen naar de bron van de Jangtsekiang, een verslag van de spannende avonturen van een vrouw in een sampan* (Londen, 1936)

Finnis, Anne – *Alexander, beslissing bij de Hyphasis* (Chapter 21 Publishing, Calcutta, 1941)

Gurney, Stella – *Schurken en vagebonden in de Zuid-Chinese Zee* (Londen, 1931)

Heller, Julek – *Een korte schets van het leven in Shanghai* (HB Books, Shanghai, 1922)

Hookings, Georgina – *Eeuwenoude teksten over de Zijderoute* (St Mawas, Sydney, 1931)

McDougall, James – *De Monarch-klasse, het raadsel van de Q-schepen* (St. Duthus, Edinburgh, 1938)

MacKenzie, Rebecca – 'De Ambassadeurs', een nieuwe invalshoek (Mededelingenblad van het Koninklijke Gilde van Kunstenaars en Handwerkslieden, deel 258, _ 7 [1975], blz. 121–166)

Morgan, Linda – *Toeristengids voor de oude stad van Shanghai* (Shanghai, 1925)

Morrison, Alison – *Repertorium van Chinese piratenleiders* (Krakow Lobes, Londen, 1924)

Muir, Caroline – *Scheepvaartcontracten en -verdragen in Azië 1900-1925* (3 delen, Krakow Lobes, Londen, 1928)

North, Sam – *Robinia Hood en andere vergeten films uit de periode van de stomme film* (Academy, Londen, 1961)

Northrop, Kapitein Martin KM – *Maritiem geschut* (3e druk, Bellarose Press, Margate, 1908)

Oldfield & Gray – *De beste restaurants, hotels en bezienswaardigheden van Shanghai en Hong Kong* (Kensington Press, Londen, 1928)

Puttapipat, Niroot – *Enige aantekeningen over de eeuwenoude vechttechnieken in het Tarimbekken* (Rangoon, 1890)

Stannard, Gavin – *Chinese vechtordes en huurlingen, met aanhangsels inzake betrouwbaarheid en kosten* (Munjati Press, Bangkok, 1880)

Tothill, Christopher – *Een wetenschappelijke omwenteling, twintig verbazingwekkende nieuwe technologieën op het gebied van de natuurkunde* (Linacre, Londen, 1920)

Wedderbun & Insole – *Hydraulische affuiten, nieuwe technologieën en enige installatiebeschrijvingen* (Londen, 1913)

OVER DE SCHRIJVER

Joshua Mowll werd op zijn achtste naar een kostschool gestuurd. Hij zegt daarover: 'Het was een tochtig en grotesk pand boven op een afgelegen heuvel op de grens met Wales, waar het ontbijt elke dag weer bestond uit havermoutpap. Het leek wel 1878 in plaats van 1978.' Het gezin verhuisde later naar Kent, waar hij zijn school-jaren doorbracht 'met overwegend het bereiken van vrijwel niets', zoals hij het zelf uitdrukt. Liever besteedde hij zijn tijd aan bandjes, die altijd te weinig oefenden en dus nooit succesvol waren.

Maar de handvaardigheidlessen spraken hem wel erg aan en later studeerde hij grafische vormgeving in Canterbury en Ipswich. Na zijn opleiding begon hij te werken bij kranten en momenteel is hij grafisch ontwerper bij een landelijke zondagskrant. Geheime Missie Jericho Rood *is zijn eerste boek.*

DANKBETUIGINGEN: Ik wil mijn literair agente Clare Conville bedanken, zonder haar energie en vertrouwen zou het EGS voor altijd in de vergetelheid zijn geraakt; ook wil ik Jane Winterbotham en David Lloyd danken voor hun trommel vol gelukskoekjes, Gill Evans voor haar vaste hand aan het roer, en ten slotte de hoogst opmerkelijke en gulle talenten van Ben Norland.